Herder Taschenbuch

Sonderband

Steck das Lachen ins Gepäck

Ein Herder Taschenbuch
Sonderband

Mit Zeichnungen von
Michael Ryba

Herder Taschenbuch Verlag

Umschlaggrafik: Michael Ryba

Alle Rechte vorbehalten – Printed in Germany
©Verlag Herder Freiburg im Breisgau 1988
Herder Freiburg · Basel · Wien
Herstellung: Freiburger Graphische Betriebe 1988
ISBN 3-451-21167-X

Inhalt

Steck das Lachen ins Gepäck –

das ist das erste, was einer tun sollte, wenn er sich auf eine Reise begibt, sei es, daß er bereits seinen Koffer packt, sei es, daß er sich zunächst „nur" geistig darauf vorbereitet, bequem vom Sessel aus, noch ohne Fahrkarte oder Hotelreservierung. Dieses Herder Taschenbuch verspricht Ihnen – für nur drei Mark – eine Reise quer durch Europa mit Abstechern nach den USA und nach Israel. Halt wird dort gemacht, wo es fröhlich zugeht, wo man Menschen anderer Stämme und Nationen von ihrer liebenswürdig heiteren, manchmal auch kuriosen Seite kennenlernen kann. Dies ist ein Baedeker des Humors für unternehmungslustige Leserinnen und Leser, die sich nicht nur am Sandstrand grillen lassen oder mit beflissenem Ernst ein Denkmal nach dem anderen abhaken wollen. Das Schönste am Reisen ist doch die Begegnung mit den „Eingeborenen", den Iren zum Beispiel mit ihrem hintergründigen Witz, den spottlustigen Italienern oder den frommen Kölnern, die das Christentum um eine eigene – rheinische – Variante bereichern.
Bei der Textauswahl konnte die Taschenbuch-Redaktion auf eine eigene Serie zurückgreifen, für die der Herder Taschenbuch Verlag inzwischen mit Recht bekannt ist: seine heitere Länder- und Völkerkunde. Dreizehn Bände sind zur Zeit lieferbar, die auf den Seiten 123 vorgestellt sind. Als weitere Bände folgen im Sommer 1988 ein Ita-

lienreport des langjährigen Romkorrespondenten Horst Schlitter „Typisch italienisch" (Nr. 1538) und ein Führer durch Ostfriesland, in dem augenzwinkernd berichtet wird, worüber die Menschen zwischen Dollart und Ems wirklich lachen: „Ostfriesland, wo liegt denn das?" von Gerrit Herlyn (Nr. 1560).

Erfahrene Reisende versichern, daß man doppelt soviel vom Urlaub hat, wenn man ein solches Taschenbuch ins Gepäck steckt. Man wird auf der Fahrt oder bei schlechtem Wetter gut unterhalten, und man erfährt vieles von Land und Leuten, was nicht in den bunt gedruckten Touristenprospekten steht. Kein Wunder, denn die Redaktion läßt nur solche Autoren schreiben, die Land und Leute wie ihre Westentasche kennen. Es sind Reiseführer mit eigenen Urteilen und einem geschärften Sinn für Humor, die sich hier vorstellen.

Jeden von ihnen können Sie zum Taschenbuchpreis anheuern. Er erwartet Sie in der nächsten Buchhandlung.

Die Taschenbuch-Redaktion

Heilwig von der Mehden

Wie einer eine Reise tut …

Das allerwichtigste an jeder Reise ist die sorgfältige Planung. Sogar eine Fahrt ins Blaue muß geplant werden, wenn man etwa die wichtigen Fragen bedenkt, wie weit das Blaue entfernt sein soll und ob man daselbst in Räuberzivil, in Bergstiefeln, in mondäner Abendgarderobe oder in exklusiven Bademoden einherwandeln will.

Mit der Planung kann man also gar nicht früh genug beginnen. Ein sehr geeigneter Zeitpunkt dazu ist die Rückreise von einem Urlaub. Wer auf der Heimfahrt aus gerade verlebten Ferien schon die nächsten plant, mindert auf jeden Fall das etwas trübsinnige Gefühl, eine langersehnte Freude hinter sich zu haben. Allerdings sei gleich hierzu gesagt, daß nicht alle Leute so denken. Ich möchte hier nicht von jenen reden, die in solchen Augenblicken geradezu unfreundlich mit harten Reden („Du kannst wohl nie den Hals vollkriegen …") auf neue Urlaubspläne reagieren – sie sind es nicht wert, daß man für sie mühsame Pläne schmiedet! Aber auch mit denen, die auf der Rückreise innerlich Bilanz machen, sollte man nicht von neuen Unternehmungen reden, ehe sie die Tatsache verarbeitet haben, daß nicht nur das gesparte Urlaubsgeld wirklich alle ist, sondern auch die Anleihe an den nächsten Monat.

Bei Beginn jeder Planung steht einem natürlich die ganze Welt offen. Doch alsbald scheiden aus diesen oder jenen

Gründen einige Orte aus: der Südpol etwa, oder Hawaii, aber auch beliebte Ausflugsziele der Umgebung. Trotzdem bleibt noch eine Menge übrig, und es bedarf wirklich angestrengter geistiger Tätigkeit, wenn man das Richtige finden will. Besonders erschwert wird die Sache noch durch die Forderung, daß es am richtigen Ort garantiert nicht regnen darf, obwohl selbstverständlich die Vegetation daselbst so üppig wie nur eben möglich sein soll.

Den Schwierigkeiten der Auswahl entgeht man am besten, wenn man dem Beispiel derer folgt, die getreulich Jahr für Jahr die gleiche Pension heimsuchen. Da wissen sie wenigstens, daß das Schwimmbad aus eiskalten Gebirgsbächen erfrischend gespeist wird, daß der Oberkellner schwerhörig ist und daß zwei Hähne fröhlich krähend gegen fünf Uhr den jungen Morgen begrüßen. Sie können sich also nicht so übervorteilt fühlen wie es unweigerlich von fremden Hähnen, Kellnern oder Schwimmbädern geschehen würde.

Etwas Unternehmungslustigere reisen auf Empfehlungen. Doch sei hier Vorsicht geraten. Was der eine preist, das enttäuscht den andern. Und erfüllt es einen nicht mit ohnmächtigem Zorn, einen Ort, an dem man einige der schönsten Wochen seines Lebens verbracht hat, geschmäht zu hören, weil angeblich der Kaffee dort nicht gut war und das Seifenschälchen nicht jeden Tag ausgeputzt wurde? Und das geschieht dazu noch von Leuten, denen man aus reiner Gutmütigkeit dies Paradies verraten hatte und von denen man annahm, sie würden es einem auf den Knien danken!

Man kann natürlich auch nach Prospekten auswählen. Es gibt herrliche Prospekte – nur geht es manchen Orten so wie jenen Filmschauspielerinnen, die auch nur halb so hübsch wie ihre Fotos sind. Man ist manchmal sehr erstaunt, wie der schneeweiße, einsame Strand, den man im Reisebüro bewunderte, an Ort und Stelle zu einem jämmerlichen, steinigen Streifen zusammenschmilzt. Strandsteine kommen auf Bildern nie gut heraus, genausowenig wie abgeblätterte Fassaden und häßliche Leute. Auf allen Prospekten genießen nur appetitliche Mädchen und sportlich gestählte Jünglinge den jeweils angepriesenen Ort.

Zur Planung der Reiseroute braucht man selbstverständlich dringend vor allem eine gute Landkarte. Obwohl natürlich jedes Kind weiß, was es mit den Maßstäben auf sich hat, sieht doch alles so angenehm nah aus. Es ist, auf der Karte, gar nicht so schwer, etwa von Barcelona aus einen Abstecher nach Madrid zu machen und dabei die große Befriedigung zu genießen, wie imponierend man seinen Gesichtskreis erweitern wird. Zudem schaden solche Vorhaben nichts, da ohnehin kein halbwegs vernünftiger Mensch seinen genau berechneten Urlaubsplan einhält. Zum Ausrechnen der Entfernungen nehme man am besten den Stechzirkel. Das hat den Vorteil, daß diese Methode einfach ist. Außerdem hat man es so nur mit den Luftlinien zu tun, was die Orte einander erheblich näher rückt. Nur so gelingt auch – weil dabei alle Berge wegfallen – die Errechnung fabelhaft niedriger Benzin- und Eisenbahnkosten. Es gibt niemanden, den das nicht angenehm berührt. Hinterher ist ja sowieso alles teurer, wie man aus bitteren Erfahrungen weiß.

Angeblich sollen manche Leute das Wunder fertigbringen, einen Urlaub nicht nur finanziell durchzukalkulieren, sondern diese Kalkulation auch einzuhalten. Es muß sich da um fabelhafte Ausnahmewesen handeln: Denn wie können sie vorher wissen, ob ein Abend in der Bar mit vielen netten und durstigen Leuten nicht die ganze Rechnung erschüttert? Wie können sie die zauberhafte Bluse in Verona vorausahnen? Oder die Motorbootfahrt, deren Preis man falsch verstanden hat? Für normale Menschen gilt, wie ich immer wieder zu meiner Beruhigung erfahre, unsere Methode: Alles, was an barer Münze nur aufzubringen ist, mitzunehmen und so zu wirtschaften, daß man, ohne die Bahnhofsmission in Anspruch zu nehmen (oder – was noch schlimmer wäre – den Urlaub vorzeitig abzubrechen), einigermaßen auskommt. Wobei es einen nicht anfechten darf, wenn in den letzten Tagen das Essen etwas weniger exquisit ausfällt.

Besonderer Planung bedarf natürlich die Garderobe. Nach einem uralten Gesetz braucht man für jede Reise ein paar neue Sachen. Denn wie deprimierend wäre es, den Leuten an der Riviera oder am Wörther See die Kleider vorzuführen, die die Leute in Pasing oder Essen-Süd schon kennen. Und wenn man etwa zehnmal jährlich die Autobahn Hannover-München im normalen Kostüm zurückgelegt hat – fährt man die gleiche Strecke auf der Urlaubsreise, so tut man es aus unerfindlichen aber zwingenden Gründen in engen Hosen. Aber alle Hosen vom vergangenen Jahr sind in diesem Jahr nicht mehr richtig ... Vergessen Sie nicht, daß als Wichtigstes zur Planung jeden Urlaubs eine ungeheure Beredsamkeit gehört: Man muß so manchem Urlaubsmuffel so vieles vorher klarmachen! Tun Sie es aber bitte möglichst schonend!

*

In gewisser Beziehung haben es die Nomaden gut: Wenn sie sich an einen anderen Ort begeben wollen, dann packen sie ihre Zelte und Teppiche ein, rufen ihre Kinder zusammen, pfeifen nach ihren Kamelen, und zurück bleibt lediglich eine leere Feuerstelle und alles das, was die Nomaden ohnehin gern loswerden wollten. Wir dagegen begeben uns nur für eine gewisse Zeit von zu Hause fort und lassen deshalb eine ganze Menge zurück – totes und unter Umständen sogar lebendes Inventar, und beides möchten wir hinterher wieder so antreffen, wie wir es verlassen haben. Es ist noch gar nicht so lange her, da schloß man einfach die Tür hinter sich zu, steckte den Schlüssel ein und begab sich ruhig auf die Reise. Inzwischen aber ist die Welt schlechter geworden, so daß nicht nur wie früher notorische Schwarzseher an Einbrecher denken. Und auch Menschen, die in den Ferien liebend gern Hunde, Katzen und Wellensittiche anderer Leute in Pflege nehmen, werden immer knapper – also sieht man sich nach jemandem zum Einhüten um, wie man in Norddeutschland die Beaufsichtigung einer anderen als der eigenen Wohnung nennt.

Die einfachste Klasse von Einhütern sind die lieben Nachbarn, die den Schlüssel bekommen, täglich die Blumen gießen, das Licht an- und ausschalten und die Läden öffnen und schließen. Man tut das gleiche für sie, und so sind alle glücklich und zufrieden, es sei denn, das Gewissen der Einhüter schlägt, weil unter ihrer Herrschaft ein Goldfisch oder eine Azalee eingeht.

Schwieriger ist es, eine vertrauenswürdige Persönlichkeit zu finden, die bereit ist, ganz einzuziehen. Leider läßt sich das Problem nicht lösen, indem man irgendeinen Obdachlosen hierfür gewinnt. Also muß man schon jemanden suchen, der zwar ein Obdach hat, aber bereit ist, es zu verlassen, um nach unseren Tieren, Blumen, Rolläden, Blattläusen und Obsternten zu sehen und nächtliche Einbrecher abzuschrecken. Es muß eine Person unseres Vertrauens sein, worunter man nicht nur versteht, daß sie grundehrlich ist, sondern auch, daß sie den Hund nicht überfüttert, bei Bedarf die Rhododendren tränkt, nichts Heißes auf die polierten Möbel stellt, nicht über Gebühr herumschnüffelt, keine teppichbodenzerstörenden Orgien feiert und daran denkt, die Heizung abzudrehen, wenn von draußen genug Wärme hereinkommt. Vor allem sympathische, muntere, junge Leute entsprechen in vielen Punkten nicht diesen hohen Anforderungen. Da sie aber die bereitwilligsten Einhüter sind, kommt man schließlich doch wieder auf sie zurück. Verwandte im Rentenalter, die gern einmal woanders weilen, sind hingegen auch nicht immer völlig unproblematisch.

Man muß aber auch die andere Seite sehen: Da ist man ganz allein in der fremden Bleibe und trägt die Verantwortung. Zudem wurde einem zwar gesagt: „Du hast überhaupt nichts zu tun, als dazusein …", jedoch folgten dann Zusätze „… und nach dem Hund zu sehen … und laß das Meerschweinchen mal im Garten laufen … und ehe der Rasen ganz vertrocknet, nimm den Gartenschlauch … sieh zu, daß du zu Hause bist, wenn der Mann für die Waschmaschine kommt, sonst ruf ihn noch mal an … es wäre wahnsinnig nett, wenn du die Bettwäsche wegbringst … die Gartenstühle vertragen keinen Regen …" und so weiter. Und dann will der sich verlassen glaubende Hund nicht fressen, sondern sitzt mit dem Blick eines verendenden Rehs in der Ecke. Und einen neuen, möglichst gleich aussehenden Goldhamster mußt du auch auftreiben, weil der alte einen kleinen Ausflug auf den Balkon zu einem Selbstmord mißbrauchte. Auch Rohrbrüche, weggewehte Dachziegel, tropfende Heizkessel und ähnliche mittlere Katastrophen sollen Einhütern schon zugestoßen sein, vom schlechten Gewissen ganz zu schweigen, wenn man zusieht, wie das Unkraut wächst und wächst, weil man sich nicht auch noch dafür zuständig fühlt. Eine spezielle Form des Einhütens ist wohl die mit den größten Problemen: Man übergibt und übernimmt nicht nur Wohnung, Garten, Tiere und Topfblumen, sondern auch kleine und größere Kinder. Doch darüber das nächste Mal.

P. S.: Irgendeinen Ärger findet man bei der Heimkehr immer. Dies sollte man gleich unter „Reisekosten" einkalkulieren und geduldig tragen!

*

Weil ja schließlich auch die treusorgendste Mutter kein Kettenhund ist, taucht vor ihrem inneren Auge zuweilen die Vision auf, einmal im Urlaub ganz ohne Kinder zu sein. Einmal nicht bei Tau und Tag Kinderhöschen zu wechseln, einmal nur nachdenken dürfen, was sie selbst heute anziehen will, und kein Essen planen zu müssen, wenn sie selbst glücklicherweise überhaupt keinen Appetit hat! Kein Kampf gegen Langeweile bei Regen! Landschaftliche Schönheit genießen, ohne einen müden kleinen Mitwanderer hinter sich her zu lotsen, dem alle Berge dieser Welt gestohlen bleiben können für ein einziges Zitroneneis. Nicht im Schwimmbad ständig auf der Lauer liegen, um Kleinkinder rechtzeitig zu retten, und niemanden als sich selbst abzutrocknen und anzuziehen! Man will auch nicht Streit schlichten und Tränen stillen und Teenagerprobleme lösen. Kurz und gut: Man will die Kinder daheim lassen.

Manchmal ist es ganz leicht, das Einverständnis der Betroffenen zu erhalten: Man beschreibt ihnen tückischerweise die langen Wanderungen und Besichtigungen, die endlosen Autofahrten, die man vorhat, in tendenziöser Ausführlichkeit. Im Gegensatz dazu berichtet man von den Freuden, die die Daheimgebliebenen genießen können, indem sie im Bett der Eltern schlafen dürfen, jeden Tag mit der guten Tante Sechsundsechzig spielen können, im Fernsehen den gerade laufenden Dauerwestern nicht verpassen (dies Argument bringt man nicht ohne schlechtes Gewissen vor) und indem sie zum guten Schluß etwas ganz Herrliches mitgebracht bekommen. Begabte Mütter sollen es schon geschafft haben, daß die Kinder schließlich reines Mitleid für die armen Eltern empfanden, die wegreisen mußten. Schwierig ist die Sache bei den ganz Kleinen, die noch nicht so recht begreifen, was vor sich geht. Während man anfangs noch heiteren Sinnes seine Strandkleidung einpackt, bricht einem schon bald fast das Herz, wenn so ein kleines noch nicht Zweijähriges voller Eifer immer wieder dies schöne Spiel mitspielen will und eigene Sachen dazupackt. Man fühlt sich als Rabenmutter und bekommt plötzlich schwerwiegende Zweifel, ob die Stellvertreterin auch den Text von „Heile, heile Segen …“ und „Wer hat die schönsten Schäfchen …“ beherrscht, was beides bei verschiedenen Anlässen dringend gesungen werden muß.

Was die Stellvertreterin betrifft, so ist die Sache noch problematischer geworden, seit es für diesen Fall nicht mehr schlichte Tanten und Omas gibt, von denen man gläubig annahm, daß sie schon zurechtkommen würden, sondern „Bezugspersonen“, die nämlich dann bleibende Schäden anrichten, wenn sie keine sind. Aber da sich unbegreiflicherweise die Leute nicht darum reißen, unsere reizenden Kinder zu hüten, muß man schließlich nehmen, was sich anbietet, auch, wenn man vorher ziemlich genau weiß, daß die lieben Kleinen der einen Bezugsperson auf der Nase herumtanzen, daß sie bei der anderen ein ausschweifendes Nachtleben führen und eine dritte nach unausrottbaren Grundsätzen ganz bestimmt darauf besteht, daß der Teller leergegessen werden muß und man sich mittags wenigstens eine Weile hinlegt. Eine gutmütige Tante schreibt gewiß am laufenden Band Entschuldigungen für nicht angefertigte Schularbeiten, und überängstliche Omas kleiden wehrlose Babys ständig für Polarexpeditionen ein. Auch geistige Einflüsse müssen einkalkuliert werden: Ich habe meine Kinder schon als Fans für bestehende und vergangene Monarchien wieder angetroffen, und eine Freundin mußte nach der Heimkehr die Frage beantworten: „Warum ist der Opa eigentlich ein Kapilist und Beuter?"

Die Hüterinnen unserer Kinder sind ganz gewiß zu den guten und hilfreichen Menschen zu rechnen. Wie gut sie sind, merken sie manchmal selbst erst, wenn sie ein paar Tage hinter sich gebracht und die ersten nächtlichen Störungen, zerschlagenen Knie, Trotzanfälle, Geschwisterschlachten und den ersten Schulärger hinter sich haben. Bei der Rückkehr kann es einem passieren, daß alle Beteiligten aufatmen. Es kann einem aber genausogut passieren, daß einen das geliebte Baby als Bezugsperson abgemeldet hat. Und wenn die Kleinen mit verklärtem Blick sagen: „Mit der Tante Anni war es aber (!) soo schön!" ist einem das – was gilt die Wette? – auch nicht ganz recht.

*

Bevor es ans eigentliche Werk geht, leiten Vorverhandlungen mannigfaltiger Art die Aktion ein. Es geht beispielsweise darum, ob Karlchen mitreisen darf. Karlchen ist ein ausgewachsener Hase von ansprechendem Charakter. Als Präzedenzfall für seine Begleitung spricht die Tatsache, daß auch der inzwischen dahingeschiedene Goldhamster Poldi schon einmal mit von der Partie war. Dagegen ist allerdings einzuwenden, daß Karlchens Behausung mehr als dreimal so groß ist wie die des Verstorbenen. Also bleibt er daheim, was nicht ohne eine gewisse Verdüsterung hingenommen wird. Auch die Mitnahme des Schlauchbootes („... im letzten Jahr haben wir es nur ein einziges Mal über die Dünen geschleppt ..."), eines Klappfahrrades und der Bocciakugeln wird am besten vorher ausdiskutiert, denn nichts kann die durch die große Familieneinpackerei bereits strapazierten Nerven noch mehr belasten, als wenn plötzlich jemand mit einem dieser Gegenstände neben dem geöffneten Kofferraum auftaucht. Auch sollte man sich vorher darüber einigen, ob selbstgemachte Marmelade, einige Bestände aus dem Weinkeller, der Haartrockner, die Kaffeemaschine und die Hundefutterschüssel mitreisen müssen. Dies ist natürlich nur eine Überlegung für Familien, auf die am Reiseziel ein Ferienhaus wartet – womöglich noch ein wildfremdes.

Das eigentliche Kofferpacken aber dreht sich meist um Schuhe, Textilien und Kosmetika. Hier scheiden sich dann sofort die Geister in solche, deren Ideal es ist, mit einem Minimum an Sachen auszukommen, und solche, die für alle Fälle gerüstet sein wollen – und Fälle gibt es sehr viele! Kann man etwa vorher wissen, ob man auch ein elegantes Kleid braucht und ob dieses Kleid dann lang oder kurz sein muß? Man hofft zwar, daß es warm wird, kann das aber nicht sicher vorhersagen, was wiederum wärmere Hosen, Pullover, dazu passende Blusen und Schuhe bedeutet. Und zu dem allerschönsten Pullover paßt nur die Hose, die erfahrungsgemäß jeden dritten Tag in die Reinigung muß. Also wäre es sicher leichtfertig, nicht noch weitere Möglichkeiten gegen etwaige Kälte zu schaffen.

Gürtel, Tücher und Jacken müssen auch bedacht werden, damit man nicht wieder ein Kleid ganz umsonst mitnimmt, weil man nicht an den Gürtel gedacht hat (oder an die Schuhe …).

Leute von der anderen Geisteshaltung, deren Ideal etwa darin besteht, den gesamten Urlaub in einer mehr bequemen als eleganten Hose und einem Pullover undefinierbarer und deshalb nicht schmutzender Färbung zu verbringen, weisen alle Eventualitäten – vor allem die des Gegenstücks zum eleganten Kleid – weit von sich, und man tut gut daran, sich mit ihnen nicht in Diskussionen festzubeißen, sondern stillschweigend das eine oder andere repräsentative Stück ihrer Garderobe in den eigenen Koffer zu packen. Dank soll man dafür allerdings nicht erwarten. Für den bedauerlichen Fall, daß die Sachen wirklich nicht gebraucht werden, muß man sich auf Spott und Hohn gefaßt machen, den man übrigens auch auf jeden Fall zu spüren bekommt, wenn unsere eigenen schwerwiegenden Koffer ins Auto oder ins Taxi gehoben werden und man nicht verbergen kann, daß es noch eine weitere Tasche mit Schuhen oder einen Sack mit Pullovern, Badezeug und Kosmetik gibt. Die spitze Frage: „Wie lange wollen wir denn eigentlich bleiben?" überhört man unter diesen Umständen am besten.

Bei der nachfolgenden Generation ist man hin- und hergerissen, ob man es schon aus Bequemlichkeit begrüßen soll, wenn sie darauf bestehen, von einem gewissen Alter an ihre Sachen selbst zu packen, oder ob man besser ein waches Auge auf diese Aktivität richtet. Denn auch hier scheiden sich genau wie bei den Großen die Geister. Zwar ist der Typ, der sich am liebsten auf die gemütlichsten Jeans und den dicken Seemannspullover beschränken würde, weitaus in der Überzahl. Aber es gibt auch junge

Menschen von der Sorte, die am liebsten alles mitnähmen, selbst die Skihose und den Gymnastikanzug.

Und so ist es nicht zu verwundern, daß einer der Höhepunkte jeder Reise schon in der Feststellung besteht, daß man eigentlich alles glücklich verstaut hat. Aufatmend läßt man sich in die Polster des Wagens oder des Abteils fallen: Die Fahrt kann beginnen!

Horst Stankowski

Die Regierung ist an allem schuld

Eine Witwe geht zum Friedhof und legt, mit großer Geste, auf das Grab ihres Mannes einen beschriebenen Zettel. Ein Friedhofsgärtner, der die Szene beobachtet hat, sieht, nachdem die Frau wieder gegangen ist, neugierig nach, was es mit dem Zettel auf sich hat. Er liest: „Lieber Roberto, Dein vor zehn Jahren eingereichter Rentenantrag ist endlich genehmigt worden."

Der Witz ist typisch für die Einstellung der Italiener zu Vater Staat und seinen Dienern. Kein Wunder: Die Beamtenschaft arbeitet notorisch lahm. Die Öffentlichen Dienste – servizi pubblici – werden vom kleinen Mann gern als disservizi verhöhnt, was soviel wie Mißwirtschaft heißt.

Sogar Regierungen werden von Zeit zu Zeit erschüttert durch die ewigen Skandale, eine „Sportart", in der Italien offenkundig die Tabellenspitze eisern zu halten gewillt ist. (Grabschrift für einen bestechlichen Minister: „Er war reicher an Schecks als an Ideen.")

Üppig wuchert das Privilegien(un)wesen. Der „arme Mann" der EG schenkt seinen Bürokraten Riesensummen in Form von Freifahrten und -flügen, Gratisstrom und -telefon, Freiplätzen in Stadien, Sonderzinsen bei den Banken und vielem anderen.

Die Liste der Staatsdienergruppen, die kostenlos oder verbilligt mit der Bahn reisen, umfaßt im Amtsblatt zehn volle Seiten! Sogar nach dem Tod haben einige noch Sonderrechte: Eingesargte Leichen hoher Beamter werden mit 50 Prozent Rabatt befördert!

Die Kehrseite der Medaille ist eine unüberwindliche Staatsverdrossenheit des größten Teils der Bevölkerung. Für sie steht das gern zitierte Schmähwort: „Es regnet? Mistregierung!"

*

Italiener zu einem Ausländer: „Wissen Sie, bei uns gibt es zwei Arten von Ministern."

„???"

„Die einen bringen *ohne* Geld nichts zustande, und die anderen bringen *mit* Geld nichts zustande."

Was ist das beliebteste Möbel der italienischen Regierung?

Die lange Bank.

„Ich meine, man sollte endlich mal eine Regierung der Anständigen auf die Beine stellen."

„Schon recht, aber wo bleibt da der Pluralismus?"

In der Schule. „Was fällt im Herbst?"

„Die Blätter, Herr Lehrer."

„Falsch, die Regierungen."

Land der ewigen Regierungskrisen. Ministerpräsident Andreotti (es könnte auch ein anderer sein) ruft mit verstellter Stimme von daheim in seinem Amtssitz an und fragt: „Ist der Ministerpräsident im Büro?"

„Nein", lautet die Antwort.

Darauf Andreotti beruhigt zu seiner Frau: „Gott sei Dank, dann bin *ich* ja wohl noch Ministerpräsident."

Ein Minister, der den Regierungschef sprechen will, findet ihn zu seiner größten Verblüffung an seinen Amtssessel gefesselt vor. Er glaubt an das Werk von Terroristen, als der Sekretär des Ministerpräsidenten eintritt. Er geleitet den Besucher mit sanfter Gewalt hinaus und flüstert ihm ins Ohr: „Er selbst will so gefesselt werden, damit ihm keiner den Sessel nehmen kann."

Regierungschef in der Kabinettsitzung: „Dieses Problem ist so kompliziert, daß wir es besser *nicht* lösen. Damit sorgen wir auch für Kontinuität in den Programmen der kommenden Regierungen."

„Ministerpräsident C. ist bei einem Unfall umgekommen!"
„Das ist ja aufregend! Wieso denn?"
„Er wollte die Krise steuern."

„Der Schatzminister ist operiert worden."
„So? Was Ernstes?"
„Ja, er hat sich einen Bruch gehoben."
„Wobei denn?"
„Als er den wirtschaftlichen Standard heben wollte."

„Papa, warum nennt man die Regierungen, die nur den Sommer über im Amt sind und dann schon wieder gestürzt werden, Baderegierungen?"
„Weil sie alles versanden lassen."

„Der Minister Baldi, der paßt doch überhaupt nicht in die neue Regierung."
„Wieso nicht? Der Baldi ist doch ein fähiger Mann."
„Eben deswegen!"

Italienische Regierungen zeichnen sich regelmäßig aus durch eine besonders große Zahl von Ministerien, vor allem aber durch eine wahre Inflation von Staatssekretär-Posten. Der Grund ist, daß möglichst viele Honoratioren der beteiligten Parteien in den Genuß von Kabinettswürden kommen sollen.

Von Italiens prominentestem Ministerpräsidenten, Alcide De Gasperi, wird berichtet, daß er einmal zum Liftboy eines Hotels sagte: „ Tut mir leid, mein Lieber, ich habe kein Kleingeld dabei. Aber ich mache dich nächste Woche zum Staatssekretär."

Unter Politikern:
„Italia liegt im Sterben."
„Woran ist sie denn erkrankt?"
„An langsamer, aber sicherer Erholung."

Lebensweisheit eines ergrauten Bürokraten: „Die Akten mit der Aufschrift ‚dringend' sind der beste Nährboden für eine Pilzsucht."

Im Kabinett soll über die Krisengebiete des Landes beraten werden. Zu ihrer Verwunderung stellen die eintretenden Minister fest, daß die Italienkarte im Sitzungssaal verkehrt herum aufgehängt ist, mit der Stiefelspitze nach oben.

Der zuständige Ressortchef erklärt die Änderung: „Auf diese Weise, meine Herren, haben wir erstmal das Süditalien-Problem gelöst."

Der Minister hat das Erdbebengebiet besucht. Der Pfarrer eines Dorfs, mit dem er sich lange unterhalten hat, verkündet der gespannt wartenden Gemeinde das Ergebnis:

„Er selbst will so gefesselt sein,
damit ihm keiner den Sessel nehmen kann."

„Meine Lieben, bald werden wir eine neue Kirche haben. Dort könnt ihr Gott bitten, daß er die Regierung zum Wiederaufbau eurer Häuser bewegt."

Eine parlamentarische Untersuchungskommission soll prüfen, warum nach dem Erdbeben die Katastrophenhilfe so lange ausgeblieben ist. Nach monatelangem Parteiengezeter einigen sich die Kommissionsmitglieder endlich auf den Abschlußbericht.
Er stellt lapidar fest: „Das Erdbeben ist lediglich eine journalistische Erfindung."

Süditalienische Definition für Weihnachten:
„Fest zu Ehren eines Kindes, das in einer ungeheizten Hütte geboren wurde, aber das Glück hatte, schneller Hilfslieferungen zu erhalten als die Erdbeben-Geschädigten."

Volksmund
Wenn einer Tausender stiehlt, machen sie ihm einen Prozeß. Stiehlt einer Millionen oder Milliarden, bilden sie eine Untersuchungskommission.

Schwache Lira
Richter zum Angeklagten: „Sie haben verbotswidrig italienische Valuta ins Ausland gebracht."
Angeklagter: „Ich habe nur Muster ohne Wert über die Grenze befördert."

„Weißt du, woran mich die Lira erinnert?"
„???"
„An ein U-Boot, das ein Leck hat. Sie sinkt und sinkt und sinkt."

Die Farben der italienischen Trikolore symbolisieren den Steuerzahler:
In grüner Farbe sind die Steuerbescheide gedruckt.
Weiß vor Schreck wird der Empfänger, wenn er sieht, wieviel der Fiskus von ihm will.
Und rot vor Zorn wird er, wenn er die Steuer bezahlt.

Gefängnisdirektor während einer Häftlingsrevolte zu einem Journalisten: „Das kann ich Ihnen sagen: Von morgen an werden die Rebellen nicht mehr vom Dach herunter protestieren!"
„Können Sie da so sicher sein?"
„Ganz sicher! Denn das Dach ist eingestürzt."

Vor einem italienischen Gerichtssaal sitzen Zeugen, die darauf warten, aufgerufen zu werden.
„Dieser Prozeß dauert jetzt schon drei Jahre", stöhnt einer. „Es gibt kein Land, wo die Justiz so langsam arbeitet wie in Italien."
„Stimmt", sagt ein anderer, „und weißt du auch, warum?"
„???"
„Damit sie immer von der nächsten Amnestie eingeholt werden kann."

„Du hast dir aber einen jungen Anwalt genommen!"
„Kluge Voraussicht, mein Lieber. Du weißt doch: in Italien dauern die Prozesse Jahrzehnte."

„Schnelle" italienische Post
Ein Briefträger schellt an allen Wohnungstüren und fragt nach dem üblichen Weihnachts-Trinkgeld.
Einer der Postkunden spielt verwundert: „Aber ich habe

es Ihnen doch schon vor vier Wochen per Einschreiben und Eilboten geschickt. Ist es denn nicht angekommen?"

„Also mit der Post geht's einfach nicht mehr so weiter!"
„Stimmt! Kommen bei dir die Briefe auch so spät an?"
„Die kommen überhaupt nicht an. Ich habe schon dreimal meinem Vater geschrieben, daß er mir Geld schicken soll. Und immer noch ist keine Antwort da!"

Mailänder Messe
„Hier ist ja alles völlig dunkel!" beklagt sich ein Besucher. „Kein Wunder, das ist doch der Stand der staatlichen Elektrizitätsgesellschaft."

Alice Schwarz-Gardos

Vorm Schuhdiscounter wird gewarnt

Zwar ist das Wort von der Konkurrenz, die das Geschäft belebt, in aller Welt und auch im Westen wohlbekannt, doch ist es seit dem Mittelalter außerhalb des Orients nicht üblich, die Verwirklichung dieses löblichen Grundsatzes auf die Spitze zu treiben. Der Großhandel und die Fabrikation mag sich daher branchenmäßig auch heute, und auch im Westen, in gewissen Stadt- und Landvierteln konzentrieren; doch im Detailhandel ist es üblich, sich hübsch über möglichst große Flächen zu zerstreuen. Straßen, in denen ein Fleischer neben dem anderen, ein Konfektionär oder Schuhhändler Tür an Tür mit der direkten Konkurrenz ihre Waren feilhalten, sind daher in modernen Gefilden relativ selten.

Im Orient, wo er am tiefsten ist, und daher auch etwa in der Altstadt von Jerusalem, gibt es ganze „Zunftgassen", wo viele die gleiche Art von Waren anbieten. Weniger bekannt im In- und Ausland ist die Tatsache, daß auch in der westlichen Großstadt Tel Aviv dergleichen nicht unüblich ist. Die unter Eingeweihten wohl berühmteste „Einbranchen-Straße" ist vermutlich die Newe-Schaanan am Zentralbusbahnhof, „die Straße der billigen Schuhe".

Literaturfreunde und Pariskenner werden sich gewiß erinnern, daß es in der Seine-Metropole eine Straße der Fischenden Katze und ein nach ihr benanntes Buch in der

Literatur gibt. Der Name hat mir schon immer gut gefallen. Die fischende Katze erscheint außerordentlich sympathisch, weil sie so etwas anheimelnd Menschliches zu haben scheint. In Anlehnung an dieses französisch charmante und literarisch verewigte Vorbild könnte man Newe Schaanan die Straße der fischenden Kunden – oder auch der fischenden Händler nennen. Die Kunden kommen nämlich hierher im Rahmen eines Fischzuges nach Gelegenheitskäufen, landesüblich Mezzies genannt, während umgekehrt die Händler nach Kunden fischen; mit Vorliebe nach solchen, die man – mit einem Austriazismus – als Kren oder Wurzen, israelisch als „Freier", und allgemeinverständlich als Leichtgläubige oder Opferlämmchen bezeichnen könnte.

Doch die Krens, Wurzen und Freier in der Straße der fischenden Fachhändler sind relativ selten. Wer hierher kommt, ist eingeweiht, gewiegt, mit allen Wassern der Preisinformation gewaschen und mit allen Salben des Feilscherinstinktes geschmiert. Ein Ausflug in die Straße der billigen Schuhe ist daher eine zeitraubende Expedition ins Land des orientalischen Konkurrenzkampfes.

Besucher dieser Straße tun gut daran, sich zuerst „in der Innenstadt" über die gängige Preisgestaltung zu informieren. Der Fischzug wird ja erst dann lohnend, wenn man sieht, daß in Newe Schaanan alles die Hälfte kostet. Allerdings ist dies keine Erkenntnis auf den ersten Blick. In den Schaufenstern dieser Fischgründe gibt es nur sehr selten und vereinzelt ein Preisschildchen. Alle Schuhe prangen jungfräulich und unausgepreist im Zustand totaler finanzieller Unschuld in den vollgeräumten Schaufenstern. Vermutlich würde es als Schmutzkonkurrenz angesehen werden, wenn jeder Händler von vornherein seine kommerziellen Absichten in schnöden, eindeutigen Zahlen deklarierte. Zudem würde dem Käufer die Hälfte des Vergnügens geraubt, wenn er ungefähr Bescheid wüßte. So aber, völlig preislos, stürzt man sich in ein Meer des finanziellen Abenteuers, aus dem man dann mit kostbaren, jedoch nicht kostspieligen Perlen wieder aufzutauchen hofft.

Auf beiden Seiten dieser Straße gibt es wie gesagt einen Schuhladen neben dem anderen. Hier und dort ist ein Billig-Konfektionsgeschäft dazwischengeklemmt, mit Fähnchen, die von hohem Gestänge im Winde wehen, in knalligen Pastellfarben Marke „Kitsch" (und einige neckischerweise sogar mit dieser Firmenaufschrift). Hier und dort gibt es einen Erfrischungskiosk für durstige Seelen, die sich heisergefeilscht haben, und für Hungrige, die vom Herumschlendern und Stöbern erschöpft sind. Denn wegen des Nichtvorhandenseins von Preiszetteln, wie auch aus Neugierde, flanieren die potentiellen Kunden selbstredend erst von einem Ende der Straße zum anderen und begutachten das gesamte Angebot. Dann erst stürzt man sich hinein ins volle Menschenleben beziehungsweise Schuhlager.

Äußerste Vorsicht ist am Platze. Je europäischer einer aussieht, desto mehr Prozente muß er sicherheitshalber vom ersten geforderten Preis absetzen. Weil sie nämlich vermutlich „draufgeschlagen" wurden. Die Geschäftsverhandlungen erfolgen in ausführlicher und blumenreicher Form, erfordern Geduld, Ausdauer, ein Pokergesicht und ein gutes Gedächtnis. So ist es zum Beispiel ratsam, einen Laden wieder unverrichteter Dinge zu verlassen und nach einiger Zeit mit einem niedrigeren Angebot dahin zurückzukehren. Nur muß man sich sowohl den vorigen Preis als auch den Namen des Ladens und/oder das Aussehen der – einander frappant orientalisch ähnlich sehenden –

Verkäufer gemerkt haben. Sonst kann man sich bloß blamieren und wird das „Klassenziel" nicht erreichen.

Im allgemeinen kauft man wirklich gut in dieser Straße, und die gleichen Schuhe, die in der „Dizengoff" unerschwinglich scheinen, sind hier in der Tat oft erheblich billiger zu haben. Es kann einem allerdings passieren, daß man, kommt man zwei Tage später wieder, um dasselbe Modell für ein Familienmitglied zu erwerben, den Preis fast verdoppelt findet. Das hat dann nichts mit der israelischen Inflation zu tun, sondern bloß mit der Tatsache, daß der Verkäufer kein gutes Personengedächtnis hat. Auch hat man sich vielleicht inzwischen um einen klitzekleinen Prozentsatz im Aussehen noch mehr „verjekket", vereuropäert oder „verkrent". Da ist also sowohl Vorsicht als auch Unerbittlichkeit am Platze. Damit wird man spielend durchdringen.

Gewarnt sei vor Selbstbedienung in diesen Läden. Ich selbst erwischte hier vor einiger Zeit ein wunderschönes Paar brauner Pumps zu wirklich tragbarem Preis. Leider hatte ich mir den rechten und linken Schuh selbst zusammengesucht. Erst Wochen später in einem eleganten europäischen Intercity-Zug mit Plüschbänken und Plüsch-Fußbänken kam es – mit beiden schönbeschuhten Füßen auf ebensolcher Fußbank – klar ans Licht, daß der Fischzug in der Straße der fischenden Kunden ein ungleiches Paar zutage gefördert hatte. Es ist nur ein winzigkleiner Unterschied in der Schnallenverzierung, doch kann kein Zweifel daran herrschen: es ist nicht ein- und dasselbe Paar.

Spätere Fahndungen nach dem richtigen Paar blieben leider erfolglos, und so läuft in Tel Aviv noch jemand mit zwei verschiedenen braunen Pumps herum, das Land der gleichen Schuhe mit der Seele suchend. Aber zum Trost mag uns beiden dienen, daß man die Füße bei Besuch, im Theater und so weiter ja zum Glück meist unter einem Tisch oder wenigstens außerhalb allzu scharfer Sicht hält. Im TEE-Zug mit Fußbank fährt man ja relativ selten. Und außerdem waren die Schuhe wirklich sehr, sehr billig ...

Rolf Magsamen

Fremde Straßen – andere Sitten

„Bei einer Reifenpanne holt der Deutsche den Wagenheber hervor und wechselt das Rad aus. Der Engländer läßt das Auto stehen, geht zur nächsten Tankstelle und ruft jemanden herbei, der die Panne repariert. Der Italiener gerät in Wut und zündet sein Auto an. Der Franzose schließlich stellt sich zunächst einmal neben sein Auto und schimpft auf die Regierung!" *Fred O. Immergrün*

In Houston/Texas rief eine ehrenwerte Bürgerin die Polizei an, weil unweit ihres Hauses ein völlig Nackter auf einem Stück Rasen lag. Die Polizei nahm auf Drängen der Frau den Tatbestand auf, aber der angerufene Schnellrichter erklärte kategorisch, daß nichts dagegen einzuwenden sei, wenn ein so junger Mann nackt auf der Wiese in der Sonne läge.
Der Nackte war erst ganze elf Monate alt.

„Wir haben Ihren gestohlenen Wagen wieder. Er steht in der Nähe der Wache, ein Kollege bewacht ihn!" Diesen Anruf erhielt der Londoner John Patterson von der Polizei. Als er an der genannten Stelle ankam, war der Wagen weg – ein zweites Mal gestohlen. Der Bobby, der ihn bewachen sollte, war kurz eine Tasse Tee trinken gegangen.

„Ja Sir! Wir haben Ihren gestohlenen Wagen wieder!
In der Nähe der Wache …"

In Burundi (Zentralafrika) nahm ein Lastwagenfahrer fünf Anhalter mit, die sich auf die Ladefläche neben einen Sarg setzten. Plötzlich hob sich der Deckel. Eine „Leiche" kletterte heraus. Schreiend sprangen die Anhalter bei voller Fahrt ab, alle – tot! Die Leiche war der Beifahrer, der im leeren Sarg seinen Mittagsschlaf gehalten hatte.

Warten 150 Mann vor der Reifenfabrik in der DDR. Kommt der Leiter und fragt: „Wer hat Westgeld?" Es melden sich 50 Mann. „Gut, ihr kauft eure Reifen am besten im Intershop! Und wer hat von euch Beziehungen zum Westen?" Wieder melden sich 50 Leute. „Und ihr laßt euch eure Reifen von drüben schicken! Und wer ist in der Partei?" Nur einer meldet sich. Er wird beiseite genommen: „So, und du, Genosse, erklärst dem Rest, warum es bei uns keine Reifen gibt!"

In einer englischen Stadt lieferten sich zwei Rugbymannschaften ein wüstes Spiel. Alle 30 Sekunden gab es ein Foul, so daß der Schiedsrichter das Spiel abbrach, um nicht die Polizei um Hilfe rufen zu müssen. Spieler und Gegenspieler waren ausschließlich Polizeimannschaften.

In der italienischen Provinz Chiet an der Adria besitzen 22 Personen, die Blindenrente beziehen, einen gültigen Führerschein. Das stellte sich jetzt bei Ermittlungen wegen Rentenschwindels heraus.

Krause bittet seinen Freund, ihm seinen Wagen zu leihen, da sein eigener in der Werkstatt steht und er dringende Geschäfte in Paris zu erledigen hat.
„Das trifft sich gut", meint dieser, „ich brauche den Wagen zufällig nicht. Kannst du mir dabei nicht den Gefallen

erweisen, meine Frau mitzunehmen, die schon lange einmal eine Freundin in Paris besuchen wollte?"

„Aber gerne, alter Freund", erklärt Krause.

An der französischen Grenze kontrolliert man Pässe und Autopapiere.

„Ihr Wagen?" fragt der französische Beamte.

„Der Wagen meines Freundes!" antwortet Krause.

Der Beamte lächelt die junge Frau an und zwinkert Krause zu: „Kompliment, Monsieur, zu dieser Frau!"

„Die Frau meines Freundes!"

Da küßt der Beamte verzückt seine Fingerspitzen und ruft: „Monsieur, welch ein Freund!"

Ein Beamter des Bundeskriminalamtes verbrachte seinen Urlaub in Paris. Bei dieser Gelegenheit nahm er sich vor, auch einmal seine Kollegen bei der „Sureté" zu besuchen und sich über den Stand der Verbrechensbekämpfung in Frankreich zu informieren.

Nach dem üblichen Geplauder fragte er seine französischen Kollegen nach der erfolgreichsten Technik, die dort angewandt wird. „Oh, Monsieur", lächelte sein Gesprächspartner, „wir haben in Frankreich ein Sprichwort, das ‚cherchez la femme' heißt!"

Nicht sonderlich beeindruckt von dieser sehr gallischen Philosophie wollte der Deutsche weiter wissen: „Sie wollen mich glauben machen, daß Sie mehr Ganoven fangen, indem Sie nur hinter den Frauen her sind?"

„Mais non, mon cher collègue", kam die Antwort, „aber wir haben die glücklichste Polizeitruppe in Europa!"

Für einen eingefleischten Golfspieler ist es offensichtlich nicht das Schlimmste, das Auto zu verlieren. Wichtiger sind die Schläger. Das geht jedenfalls aus einer Anzeige in der Tageszeitung Salisbury Herald hervor: „Achtung: Würde derjenige, der mein zuletzt in der Umgebung des Nonomatapa Hotels gesehenes Auto findet, freundlicherweise meinen Putter zurückschicken. Mein Spiel ist völlig ruiniert. Seien Sie ein Sportsmann. Der Name steht auf der Golftasche."

„Was ist der Unterschied zwischen Himmel und Hölle?" fragte die „Financial Mail" aus Johannesburg und gab selbst die Antwort:
Im Himmel sind
– die Polizisten Engländer,
– die Köche Franzosen,
– die Maschinisten Deutsche,
– die Liebhaber Italiener,
– und alles wird von Schweizern organisiert.
In der Hölle sind
– die Köche Engländer
– die Maschinisten Franzosen,
– die Liebhaber Schweizer,
– die Polizisten Deutsche,
– und alles wird von Italienern organisiert.

Ein kurioser Unfall, der in Ungarn landesweit Schmunzeln erregte, beschäftigt jetzt die Gerichte in der dritten Instanz: An einem beschrankten Bahnübergang im ungarischen Bezirk Tolna hielt ein Motorradfahrer, hinter ihm ein Pferdegespann und schließlich ein Personenwagen. – Beim Nahen des Zuges biß der erschrockene Gaul den Motorradfahrer in die Schulter, scheute auf dessen Hieb zurück und demolierte dabei das hinter dem Gespann stehende Auto.
In den anschließenden Streit mischte sich noch ein Mann

ein, der seine mitgeführte Ziege während des Palavers an die heruntergelassene Schranke gebunden hatte. Erst beim letzten „Meck" des gehenkten Tieres aus vier Meter Höhe merkten die Streitenden, daß der Bahnübergang inzwischen wieder geöffnet worden war.

Gebildete Autofans können jetzt die Funktion ihres Motors auch auf Latein studieren. Die Wissenschaftler-Vereinigung „Latinitas" hat eine Autofibel erstellt, in der Aufbau und Funktion des Motors in der antiken Sprache geschildert werden. Die Wissenschaftler aus zahlreichen Ländern, die jetzt von Papst Johannes Paul II. in Audienz empfangen wurden, haben die Aufgabe, die offizielle Sprache des Vatikans der modernen Sprachentwicklung anzupassen. Sie sollen für die zahlreichen neuen Wortschöpfungen entsprechende lateinische Ausdrücke finden.

Auf dem Pariser Flohmarkt waren alle Polizeimützen vergriffen: Autofahrer hatten sie gekauft, um sie auf die Ablage hinter ihren Rückfenstern in die Autos zu legen, um so den Anschein zu erwecken, sie seien Polizeibeamte.

Der englische Statistiker Bill Botwaill hat die Berufe der 109 führenden Fußballschiedsrichter Englands untersucht. Unter anderem sind vier Spielleiter Schuldirektoren, sechs stellvertretende Schuldirektoren, eine beträchtliche Anzahl sind Lehrer. Unterrepräsentiert erscheinen die Polizei und der Strafvollzug. Unter den 109 Unparteiischen befinden sich nur vier Polizisten und Gefängnisaufseher, darunter ein einziger Spezialist für Fingerabdrücke.

Eine Urlauberfamilie aus Dänemark hat die in der Schweiz geltenden Vorschriften über das Anschnallen für Autofahrer und das Tragen von Schutzhelmen für Motorradfahrer gründlich mißverstanden. Wie die in Spiez erscheinende Zeitung „Der Berner Oberländer" berichtete, entstiegen die Urlauber auf einem Campingplatz ihrem Wagen und „entfernten den Helm von ihren nordischen Häuptern". Daß sich Schweizer darüber wunderten, erstaunte sie ebenso sehr. „An der Grenze stand eine Tafel mit dem Hinweis, daß Helme und Gurte obligatorisch sind", sagte der Familienvater ärgerlich. „Also kauften wir in Basel die Helme."

Nur durch Vermittlung des peruanischen Fernmeldeministeriums konnten Feuerwehr und Polizei der Hauptstadt Lima nach vier Stunden Unterbrechung ihre Telefonleitungen wieder benutzen. Angestellte der Telefon-Gesellschaft hatten die Anschlüsse gesperrt, weil trotz Mahnungen die Rechnungen seit zwei Jahren nicht bezahlt wurden. Die Feuerwehr schuldet umgerechnet rund 40 000 Mark.

Giancarlo Sanno, ein junger Mann aus Sardinien, wurde von einer Verkehrsstreife überrascht, als er sein Auto mit den Füßen steuerte. Sanno erklärte, mit den Füßen könne er noch sicherer lenken als mit den Händen, da er ausgebildeter Artist sei. Bisher ist der Per-Pedes-Automobilist unfallfrei gefahren, ob er bestraft werden kann, steht wegen der besonderen Umstände des Falles noch völlig offen.

Die italienische Parlamentsabgeordnete Anna Miretta stellte kürzlich den Antrag, daß in Zukunft jeder Kinderwagen ein polizeiliches Nummernschild – genau wie die Autos – erhält und bevor er zum Verkehr zugelassen wird, durch einen technischen Experten überprüft wird. Die Abgeordnete begründete ihren Antrag mit dem Hinweis, daß bei dem wachsenden Verkehr ein Kinderwagen genau so zu behandeln sein sollte wie jedes andere Fahrzeug.

Eine Telephongesellschaft in Tokio spielt auf die ständigen Verkehrsstauungen in der 10-Millionen-Stadt mit dem Werbespruch an: „Telephonieren Sie – mit dem Wagen kommen Sie da nie hin!"

Vor den Augen seiner Bewohner, die sich auf der Straße noch mit den Ordnungshütern über Sinn und Zweck ihrer Zwangsevakuierung stritten, ist in Neapel ein dreistöckiges Wohnhaus zusammengebrochen. Drei Stunden lang hatten Polizei und Feuerwehrleute in den Etagen auf die Hausbewohner eingeredet, bevor man sich einigte, die Diskussion vorsichtshalber auf der Straße fortzusetzen. Kaum hatte der letzte Bewohner das verrottete Haus verlassen, als es zu wanken begann und schließlich krachend zusammenfiel ...
„Das hat uns dann doch überzeugt", meinte einer der Hausbewohner.

Es fiel unangenehm auf, daß der Farmer Bill O'Connor vor dem Rathaus in Baker City eine Fuhre Mist ablud. Dem Polizeibeamten, der sich mit dieser anrüchigen Geschichte beschäftigte, erklärte er: „Ich wollte nur einmal Gleiches mit Gleichem vergelten, denn seit Jahren werfen die Autofahrer und Camper aus der Stadt leere Bierflaschen, Papier und Konservenbüchsen auf meine Wiesen und Felder!"

Ein Polizist in Detroit kämpfte mit einem nackten Mann, der auf der Straße Geldscheine verbrannte. „Helft mir doch!" rief der Beamte zwei Politessen zu. Die wurden rot und liefen weg. Sie wurden wegen „Feigheit im Dienst" entlassen!

Ein Amerikaner und ein Russe, Teilnehmer der Genfer Abrüstungskonferenz, torkeln in eine Polizeiwache und bitten um politisches Asyl.
Der Beamte nimmt die Personalien auf, telefoniert mit seiner vorgesetzten Dienststelle und gibt folgenden Bescheid. „Sie, Herr Iwanowitsch, betrachten sich bitte als unter schweizerischem Schutze stehend. Von Ihnen, Mr. Miller, bekomme ich 10 Franken wegen groben Unfugs gegenüber der schweizerischen Behörde!"

Herbert Sinz

Don Camillos rheinische Brüder

Neider

In einem Kölner Pfarrsaal führte die Katholische Frauen-
schaft eine Modenschau durch, an der auch der Präses
teilnahm. Nach Schluß der Veranstaltung wurde er aufge-
fordert, ein paar Worte an die modebewußte Damenwelt
zu richten.

Der Pastor, auf so etwas nicht vorbereitet, fühlte sich ein
wenig überfordert, fand dann aber seinen eigenen Ton:
>„Benedictum, benedactum,
>in Afrika laufen die Frauen nackt rum.
>Bei uns tragen sie die schönsten Kleider,
>und das bringt Neider."

Schadenersatz

Ein Pfarrer in Östrich-Winkel saß häufig mit dem ortsan-
sässigen Rechtsanwalt zusammen. Man becherte gemein-
sam und stritt auch regelmäßig. Eines Tages kamen die
beiden auf den Zölibat zu sprechen, den der Pfarrer entsprechend verteidigte. Der Jurist folgte dessen Argumen-
ten nicht, schränkte jedoch ein, daß es auch andere
Berufsgruppen gäbe, bei denen die Ehelosigkeit angezeigt
wäre.

„Mag sein", fiel ihm der Geistliche ins Wort, „auf keinen
Fall dürfte es aber den Zölibat für Ärzte geben. Die müssen für das, was sie anrichten, auch Schadenersatz lei-
sten."

Adam

Ein Bürger, der unterhalb des Drachenfels wohnte, meldete seinem Pfarrer die Geburt des ersten Kindes. Es sollte auf den Namen Adam getauft werden.

Der Geistliche konnte sich eines Schmunzelns nicht erwehren, denn er wußte, daß der Vater sich bereits dem 60. Lebensjahr näherte. „Die Kirche freut sich über jeden neuen Erdenbürger. Es ist auch sinnvoll, daß Sie mit dem Buchstaben A beginnen, der Herrgott muß aber viel Nachsicht üben, wenn wir auch noch einen Zacharias erleben wollen."

Kuckuck, Kuckuck

Über 60 Jahre wirkte Reinhold Böhme, Pfarrer in Sieversheim, im wahrsten Sinne des Wortes im Weinberg des Herrn. Er galt als ebenso sprachgewaltig wie trinkfest. Sein Leib- und Magengetränk war der „Sieversheimer Heerkretz", dem er regelmäßig im Kreise seiner Bauern zusprach. In einer vorgeschrittenen Stunde erklärte er aufgeräumt, daß er von der Kanzel dreimal Kuckuck rufen würde, ohne daß seine lieben Pfarrkinder es merkten.

Das war den braven Sieversheimern zuviel, denn schließlich schliefen sie ja nicht, wenn der „Herr Pfarrer" predigte.

Einer der Weinbauern gab sogleich Kontra: „Ich stifte zehn Flaschen Wein, wenn ich den Kuckucksruf des Pfarrers überhören sollte." Die übrigen Mitzecher gingen ähnliche Wetten ein, so daß schließlich eine stattliche Anzahl Flaschen auf der Liste stand.

Reinhold Böhme nahm sich mit seinem Vorhaben Zeit. Es kam der Herbst und schüttelte das Laub von den Rebstökken, es kam der Winter und breitete ein weißes Tuch über die Weinberge. Dann frohlockte der Frühling und erweckte die Reben zu neuem Leben, und eines Tages jubilierte der Pfarrer von der Kanzel: „Der Mai ist gekommen und öffnet nach langer Winterszeit unsere Herzen. Die Vöglein singen in den Zweigen, die Amseln flöten ihr Lied, der Kuckuck ruft sein Kuckuck, Kuckuck über Wald und Flur, und überall zeigt sich die erwachende Natur. Es ist eine Lust, durch Gottes schöne Welt zu gehen!" Die Sieversheimer, an donnernde Predigten ihres Pfarrers gewöhnt, erbauten sich an der blumigen Sprache, und niemand dachte an die Wette vom Sommer des vergangenen Jahres. Nur einer ging bald von Haus zu Haus, um den Preis der Wetten einzulösen: Pfarrer Reinhold Böhme.

Christian Moll

Zu den vielen volkstümlichen Kölner Geistlichen gehörte auch der 1952 verstorbene Pastor Christian Moll. Die Kölner nannten ihn liebevoll „Molls Chris". Anläßlich einer Visitation blickte der Weihbischof nachdenklich auf das Brevier des Chris, dessen Seiten noch wie neu aussahen. Der hochwürdige Herr war versucht, daraus zu schließen, daß das tägliche Gebetbuch wenig benutzt wurde. Wie beiläufig zeigte der Weihbischof dem Pfarrer darauf das eigene, abgegriffene Brevier, ohne indessen den Christian aus der Ruhe zu bringen. Der Schelm hatte längst erkannt, was der Weihbischof dachte und meinte: „Ich hale minge Krom en Ordnung." (Ich halte meine Sachen in Ordnung.)

An der Himmelstür

Als Molls Chris gestorben war und an die Himmelspforte klopfte, öffnete Petrus sie nur einen Spalt breit. „Du küs net he eren, du wors op Erden ene zu jroße Jrielächer."

Da holte der Moll, der so etwas geahnt hatte, einen ausgestopften Hahn hinter dem Rücken hervor und fragte den heiligen Petrus: „Kennste dä?"

Erbleichend öffnete Petrus die Pforte. „Loß die aal Jeschichte, Chris, sons wäde ich unjemütlich."

Die Verwandlung

Ein Moselpfarrer sprach in der Schule über Heilige und Sünder. An der Atmosphäre des Raums lag es, daß der Wein dabei eine Rolle spielte. „Ein Heiliger ist nie unmäßig, vor allem nicht im Trinken. Würde er dem Wein zu reichlich zusprechen, müßte dieser in seinem Mund zu Wasser werden."

Der Kölsche Don Camillo

Für den Kölner Pastor Anton Gymnich aus dem Severinsviertel war es eine Christenpflicht, vor jedem großen Spiel des 1. FC eine Messe für den Sieg zu lesen. Den Tabellenstand sagte er im Schlafe auf, und wenn er in der Heiligen Schrift an die Stelle kam, in der es heißt „Tretet ein in die Tore", hatte er nur den 1. FC im Sinn. Er kannte alle Spieler, und viele kannten ihn. Nie fehlte er an den Großkampftagen im Müngersdorfer Stadion.

Auch bei den Radrennen in der Kölner Sporthalle war er mit alten Klassenkameraden häufiger Gast. Er schrie mit, wenn die Ritter des Pedals ihre Runden drehten und feuerte sie an, wenn es „um die Wurst" ging. So war es auch bei einem neuerlichen Besuch. Da meldete der Lautsprecher, daß die SIGNAL-Versicherung für ein Zuschauer-Seniorenrennen drei Prämien über 2000, 1000 und 500 Mark gestiftet hätte. Das Rennen sollte über fünf Runden gehen und dem Gedanken der körperlichen Ertüchtigung im Alter dienen.

Zur Teilnahme berechtigt, so erläuterte der Mann am Lautsprecher, wären alle, die das 50. Lebensjahr überschritten hätten. Die Räder würden von der Wettkampfleitung zur Verfügung gestellt.

Das Angebot fand bei Gymnichs Freunden wenig Beachtung, denn ihr Durst war größer als das Interesse an solchen Späßen. Sie drängten zur Theke. Nicht so Pfarrer Anton Gymnich, der blitzschnell erkannt hatte, daß man mit 2000 Mark viel Gutes stiften konnte und daß vornehmlich sein Pfarrheim noch manchen Einrichtungsgegenstand benötigte. So ging er kampfentschlossen zur Rennleitung und meldete seine Teilnahme an. Ein freundlicher Herr mit feuerrotem Vollbart und muskelbepackten Armen fragte nach Alter, Namen und Wohnort. Dann trug er den Pastor unter der Nummer 13 in die Liste ein.

„Wollen Sie es wirklich wagen, Hochwürden?"

„Mit Gottes Hilfe – ja."

17 Senioren wurden auf die Bahn geschickt, alle zwischen 50 und 65 Jahren. Mit seinen 62 gehörte Gymnich zu den ältesten.

Rudi Altig, früher einmal Sieger auf allen Straßen Europas, gab die Bedingungen bekannt. An die dickbäuchigen, glatzköpfigen, bärtigen und krampfadergezeichneten Seniorenfahrer richtete er Worte der Ermunterung.

Die Jagd der Alten begann. Auf den Rängen saß ein gröhlendes, sich amüsierendes Publikum. Es erklangen Anfeuerungsrufe wie: „Vorwärts, Alter!" oder „Plätekopp, halt dich dran!" oder „Aapefott, paß op!" oder „Dä Schwatze es op singem Schleck", was sich deutlich auf Gymnich bezog.

Der Pastor zeigte Ruhe und blieb, eifrig strampelnd, im Mittelfeld. Bald wandelte sich das Bild. Das Rennen nahm an Spannung zu, mal war ein Spitzbart, mal ein Glattrasierter mit goldgefaßter Brille, mal ein Glatzkopf vorne. Noch schlug sich Gymnich tapfer, obgleich er nie an der Spitze lag. Niemand hörte, daß er mit seinem Hausheiligen Antonius verhandelte: „Die fahren all bloß für ihr eijene Täsch, ich ävver bruch dat Jeld für et Pfarrheem. Denk draan und loß mich jewinne!"

Als der mit der Glatze ihn unversehens anrempelte, so daß Gymnich fast gestürzt wäre, schimpfte der Pastor wie ein Rohrspatz: „Paß op, du Aaschloch, baal wör ich op de Schnüß jefloge."

Als der Pastor zurückfiel, bekam er lauten Zuspruch von seinen Kameraden: „Anton, zieh!"

Der Lärm in der Riesenhalle wurde von Minute zu Minute stärker. Gymnich trat in die Pedale, was die Waden hergaben. Er merkte nicht, daß ihm der rechte Sockenhalter und das linke Schuhband gerissen waren. Er hatte nur noch Augen für den Spitzbart, der ihm um zwei Fahrradlängen voraus war.

Wieder verhandelte Gymnich im Geist mit seinem Lieblingsheiligen: „Kall ens me'm Herrjott, bloß e janz klein Wunder, e janz klitzeklein!"

Um ihn herum ging es zu wie in einem Hexenkessel. Von den Freunden war der Begeisterungsfunke auf die Zuschauer übergesprungen, aber diese schrien nicht: „Anton, zieh!" sondern „Don Camillo, zieh!"

Das Rennen ging in die letzte Runde. Gymnich keuchte, als ob der Teufel hinter ihm her wäre. Als erster fuhr der Spitzbart durchs Ziel, aber Zweiter wurde, so verkündete es der Lautsprecher, die Nr. 13. Das war Pastor Anton Gymnich.

Als dessen Rad auslief und der Pastor erschöpft den Sieg genoß, galt sein Dank dem Hausheiligen: „Antonius, ich dank dir, dat du Fürbitt jeließ häs." Zu weiteren Selbstgesprächen kam er nicht. Er wurde von allen Seiten umringt, und seine Freunde waren geradezu „aus dem Häuschen". Als Rudi Altig den Siegern die Hand drückte, applaudierte eine vieltausendköpfige Menge.

„Kommen Sie!" forderte Altig die Senioren auf. „Die Herren von der Versicherung wollen Ihnen die Preise überreichen."

Dann standen die drei glücklichen Gewinner, der Spitzbart, der Pastor und der Glatzkopf, vor einem kleinen, rundlichen Herrn mit freundlichem Gesicht und einer Brille auf der Nase. Neben ihm sah man einen schlanken, dunkelhaarigen Herrn mit vorbildlichem Haarschnitt und einen weiteren schlanken Herrn, der offensichtlich schwäbischen Tonfall in der Sprache hatte.

Der freundliche kleine Dicke reichte erst dem Spitzbart, dann dem Glatzkopf einen Umschlag mit dem Scheck in der Höhe des Gewinns und blieb dann vor Gymnich stehen. „Die Zuschauer riefen ‚Don Camillo', darf ich daraus schließen, daß Sie Pfarrer sind?"

„Das dürfen Sie – ein ganz gewöhnlicher Pfarrer."

„Brauchen Sie den Gewinn für einen guten Zweck?"

„So ist es. Für mein neues Pfarrheim."

Gymnich wischte sich mit dem Ärmel den Schweiß von der feuchten Stirn. Die Versicherungsherren traten einen Schritt zurück und tauschten miteinander einige Worte aus. Der Lange sagte dann in schwäbischer Mundart: „Ischt zu mache."

Darauf ging der junge Manager mit dem vorbildlichen Haarschnitt auf Gymnich zu. „Herr Pastor, ich freue mich, Ihnen mitteilen zu können, daß Sie weitere 3000 Mark für Ihr Pfarrheim erhalten."

Gymnich war noch nie anderen Menschen um den Hals gefallen, doch jetzt drückte er den edlen Spender an seine Brust, als wäre dieser der „verlorene Sohn". Am nächsten Tag stand unter der Rubrik „Sport" der Sieg des „kölschen Don Camillo" in allen Kölner Zeitungen. Gymnich las es mit sichtlichem Vergnügen und wartete auf einen Anruf des Generalvikariats.

Sechs Jahre

Anläßlich eines Jubiläums über sein Leben plaudernd, meinte ein niederrheinischer Pastor: „Sechs Jahre habe ich keinen Wein getrunken, sechs Jahre keine Zigarre und keine Zigarette geraucht, sechs Jahre habe ich nicht ohne Aufsicht auf die Straße gehen dürfen – dann wurde ich eingeschult."

Den Kopf verdreht

Vor Jahren hatte Pater Leppich auf dem Marktplatz eines rheinischen Weinortes gepredigt. Bauern, Handwerker, Kaufleute und viele Gaffende waren gekommen, um den wortgewaltigen Prediger mit seiner deftigen Ausdrucksweise zu hören.

Monate später äußerte sich der Ortspfarrer so: „Ich mußte nach Leppichs Predigt jedem einzelnen meiner Pfarrkinder den Kopf wieder zurechtrücken."

Hohes Lob

Als die evangelische Gemeinde in Gleuel, einem Vorort Kölns, erstmalig eine Pastorin als Seelsorgerin bekam, war die Freude über die menschliche Art und über das äußere Erscheinungsbild der jungen Geistlichen überaus groß. Einer der Gläubigen sprach aus, was alle empfanden: Dat es ävver e lecker Pastürche!"

Die Kölsche Muttergottes

Als 1983 Kurt Ludes Karnevalsprinz in Köln war, gehörte es zu seinen Amtspflichten, beim Pfarrer in der Kupfergasse, dem die berühmte Madonna anvertraut war, einen Besuch zu machen. Ausdrücklicher Wunsch des mit den närrischen Gepflogenheiten vertrauten Geistlichen war es, daß das Dreigestirn auch in der Wallfahrtskirche in vollem Ornat erscheinen möchte. Angesichts des Madonnenbildes gab es herzliche Begrüßungsworte des Pfarrers, und der Prinz konnte nicht umhin, mit einer närrischen Erwiderung zu danken. Ludes entledigte sich dieser Aufgabe besonders einfallsreich, indem er ausrief: „Oser Modder Goddes en d'r Koffergass: Dreimol: Köllen Alaaf." (Der Muttergottes in der Kupfergasse ein dreimal kräftiges ,Köln Alaaf!')

Die Engelchen

Heinrich Lützeler, der unvergleichliche Kenner rheinischer Lebensart, erzählt in seinem Buch „Philosophie des Kölner Humors" eine Fronleichnamsgeschichte, in der das Funktionsbewußtsein der weißgekleideten Mädchen in der Prozession deutlich wird.

Eine ortsfremde Zuschauerin – offensichtlich anderer Konfession – der Kölner Prozession wandte sich an die sie begleitende Frau: „Sieh doch, die netten, weiß gekleideten Kinder!"

Das hörte eines der fraglichen Mädchen und stellte sogleich, überaus deutlich, richtig: „Mer sin die Engelcher, du Aaschloch!"

Die tägliche Messe

Vor rund 100 Jahren wurde im Dom zu Mainz ein Adeliger beigesetzt, dessen sündhaftes Leben erst im nachhinein bekannt wurde. Es dauerte nicht lange, da wurde die Forderung erhoben, den Sarg wieder aus dem Gotteshaus zu entfernen. Jetzt entschied der Bischof mit Nachdruck: „Der Tote bleibt, wo er ist. War er wirklich ein Sünder, dann ist es Strafe genug, daß er jeden Morgen die Messe hören muß."

Klaus Mampell

Paris zu Fuß

Auch wer zum erstenmal nach Paris geht, hat bestimmt
zuvor schon viel davon gesehen; denn er kennt es von An-
sichtspostkarten und Prospekten und Fernsehreportagen.
Nun will man wohl kaum nach Paris gehen, um da die Kathedrale Notre-Dame zu betrachten, wenn man sie schon
auf genügend Abbildungen gesehen hat, von jeder Seite
und bei jeder Stimmung, bei Sonnenuntergang in rötli-
chem oder goldenem Licht, im Schnee oder mit Grün
darum herum, mit der Seine im Vordergrund, mit Montmartre im Hintergrund, als Silhouette aus der Ferne, oder
so nahe, daß man den Wasserspeiern in die wasserspeien-
den Fratzen blickt; und wenn man selber davor steht,
kann man dergleichen ja nicht sehen; so nahe kommt man
schwerlich heran.
Nicht anders verhält es sich mit den meisten Sehenswürdigkeiten von Paris. In den rund tausend Jahren, da dies
die Hauptstadt von Frankreich ist, hat sich darin so manches vom Besten und Schönsten angesammelt, was Frankreich zu bieten hat. Soviel davon aber kennt man schon
von den bunten Bildern, die man in Heften oder in Bü-
chern oder auf dem Bildschirm gesehen hat. Sieht man da
mehr oder allenfalls sogar weniger, wenn man Paris selber
besucht? Gewiß kann man ein Bauwerk wie den Louvre
auf sich wirken lassen und daran denken, daß hier ein hal-
bes Jahrtausend lang die Residenz der französischen Kö-

nige war, ehe sie sich eine noch prächtigere in Versailles erbauten. Aber bei dem Namen „Louvre" denkt man ja vor allem an das Museum, das nun in dem gewaltigen Gebäude ist, an all die Kunstschätze, darunter – nun, was denn wohl? natürlich – die „Mona Lisa" und die „Venus von Milo". Die sieht bestimmt jeder, der in den Louvre geht. Und wenn er sie sieht, lächelt die Mona Lisa tatsächlich so, wie sie lächelt. Und bei der Venus von Milo ist die Brust wirklich so schön, wie man sagt, daß sie sei. Bei diesen zwei Kunstwerken also verweilt man einige Minuten und hat damit das Gefühl, daß man zu denen gehört, die sie im Original gesehen haben. Von all den anderen Kunstschätzen – und deren gibt es so irrsinnig viele, daß man sie gar nicht alle ausstellen kann – schaut man sich noch einiges an, was man auf dem Gang zu und von der Mona Lisa beziehungsweise der Venus von Milo im Vorübergehen sieht; aber vor jedem Kunstwerk stehenbleiben kann man nicht, sonst stünde man jetzt noch da.

Ist also der Louvre wirklich sehenswert? Ist Notre-Dame sehenswert? Diese Fragen könnte man stellen, aber sie wären wie die Frage, ob Paris überhaupt sehenswert sei; und da Paris, wenigstens für einen Franzosen, der Nabel der Welt ist, könnte man dann genausogut fragen, ob denn die Welt sehenswert sei. Allenfalls kann man so etwas tatsächlich fragen, aber darauf antworten kann man nicht.

Was aber soll man sehen, was man nicht sowieso schon kennt? Vom Louvre zum Platz aller Plätze mit Namen „Place de la Concorde" ist es nicht weit. Dies also soll der schönste Platz sein, den es in irgendeiner Stadt auf der ganzen Welt gibt. Wer das eigentlich entschieden hat, braucht man nicht zu fragen; es war sicher ein Franzose. So oder so ist es aber ein ganz besonderer Blick, wenn

PARIS ZU FUSS . . .

man von diesem Platz die Avenue des Champs Élysées hinaufschaut zum Arc de Triomphe, und ob man den Blick nun schön oder herrlich oder großartig oder gewaltig nennt, man muß das halt gesehen haben und mit eigenen Augen. Erst dann kommt jene Dimension hinzu, die es auf keinem Foto gibt, und zwar geht es da nicht nur um die Dimension der Räumlichkeit, sondern auch um die Dimension des Gefühls, nämlich des Gefühls für Paris, für seine Atmosphäre; Paris muß man also nicht so sehr sehen; Paris muß man erleben.

Erleben kann man auch etwas auf dem Platz, in dessen Mitte der Arc de Triomphe sich befindet. Place de l'Étoile ist der Name, denn sternförmig von hier strahlen zwölf Straßen aus, und wer einmal mit dem Wagen in die Anziehungskraft dieses Sterns geraten ist und hoffte, wieder in eine der zwölf Straßen ausgestrahlt zu werden, kann von einem der eindrucksvollsten Erlebnisse erzählen, die Paris zu bieten hat, nämlich einem Verkehr, dem gegenüber New York wie ein Kuraufenthalt wirkt. Seit ich einmal mit dem Wagen in diesen Stern geriet, kann ich mir das Chaos der Atome im Inneren der Sonne besser vor Augen führen. Ich weiß nicht mehr, wie ich diesem Chaos überhaupt wieder entrann. Vor mir sehe ich jetzt nur noch das Gesicht eines Polizisten, der neben meinem Wagen stand und der sich die Szene in stiller Verzweiflung betrachtete. Ich sehe noch, wie er die Augen gen Himmel hob und sich dann abwandte, wahrscheinlich um zu beten; denn hier war alles menschliche Tun und Wollen vergebens, und auch Polizisten sind Menschen. – Schade, daß man dieses Bild nicht mit der Kamera festhalten und unter die Dias von Paris einreihen kann; Titel: Arc de Triomphe, vom Auto aus gesehen.

Freilich muß man in Paris auch nicht mit dem Auto irgendwohin fahren. Man kommt schneller voran zu Fuß. Das merkt man spätestens, wenn man in irgendeiner Straße, ob Haupt- oder Neben- oder Seitenstraße oder Gasse, oder auf einem großen oder mittleren oder kleinen Platz einen Parkplatz finden will. Da steht Auto an Auto mit je einem Zentimeter Zwischenraum, als seien sie schon immer da gestanden und würden da auch ewig stehenbleiben. Gewiß, es kann vorkommen, daß man nach verzweiflungsvollem Herumfahren zu einer Stelle kommt, wo eben jemand seinen Wagen herausbugsiert, aber todsicher ist dieser Wagen ein Stück kürzer als der eigene, den man deshalb unmöglich in diesen Platz hineinbugsieren kann. Also, fahren wir halt weiter und sehen noch etwas mehr von Paris.

Wenigstens von außen sehen wollen wir das Théâtre de l'Opéra, obgleich das, was innen geboten wird, das Eigentliche bei der Oper ist. Jedoch kann hier die Darbietung innen sowieso nicht aufkommen gegen den Aufwand außen. Und dieser äußerliche Prunk, dieser ausschweifende Stil, ist beispielhaft für viel Pariserisches und damit überhaupt für viel Französisches. So manches eindrucksvolle französische Bild würde ohne den Rahmen um das Bild herum anders auf den Beschauer wirken. Manchmal wird man von den vergoldeten Schnörkeln des Bilderrahmens geradezu geblendet, und danach wirkt das darinnen befindliche Bild etwas blaß.

Was mich betrifft, ich schätze die klotzigen Bilderrahmen weniger als die Bilder darin, und wo diese Bilder impressionistisch werden, beginnt für mich der Charme von Paris. Für mich schlendert es sich leichter auf dem Boulevard Saint Germain als auf der Avenue des Champs Élysées. Ich kann der Kirche Saint-Germain-des-Prés näher kommen als der Kathedrale Notre Dame. Auf dem linken

Seineufer muß man nicht soviel besichtigen und kann mehr erleben. Das Quartier Latin ist etwas, das man nicht sieht, sondern spürt. Die Sorbonne und die École des Beaux Arts sind nicht Gebäude, die man von außen oder von innen betrachtet, sondern sie sind atmende Wesen, und fotografieren läßt sich ihr Atem nicht.

Nein, durch Paris soll man nicht fahren und sich nicht fahren lassen. Durch Paris soll man schlendern, die Seine entlang, vorbei an den Ständen der „Bouquinisten", also der Büchertrödler, die sogar die größte französische Literatur zu billigsten Preisen verkaufen. Und schlendern kann, wer es wagt, auch den Boulevard St. Michel entlang, um sich davon zu überzeugen, daß jene wohlfeilen Weibsen wirklich da zu jeder Nacht- und Tageszeit auf Kundschaft warten. Ganze Trauben hängen da herum, bereit, gepflückt zu werden, zu welchem Preis, ist unterschiedlich; heutzutage jedenfalls gibt es auch das Wohlfeile nur noch zu inflationären Preisen.

Beim Schlendern durch Paris versäumt man vielleicht, das eine oder andere zu sehen, was ein Muß ist für Touristen. Aber ist es wirklich ein Versäumnis, wenn man nicht in der Église des Invalides auf den Sarkophag Napoleons hinunterschaut? Oder muß man sich vor dem Eiffelturm fotografieren lassen, vor dieser Monstrosität? Das Bild dieses Gestells wird auch so der Nachwelt erhalten bleiben, vor allem weil die Franzosen sich nicht dazu bringen können, irgend etwas abzureißen, was sie einmal irgendwo hingesetzt haben, und wäre es auch so häßlich wie der Eiffelturm oder die Basilika Sacré-Coeur, bei der man allerdings nicht fragt, ob sie schön sei oder häßlich, weil sie so oft gemalt worden ist von all den Künstlern, die sich auf dem Montmartre herumgetrieben haben und die alles malten, was sie sahen, und Sacré-Coeur kann man ja nicht übersehen, auch nicht als Tourist. Ansonsten aber gibt es auch noch viel Untouristisches auf dem Montmartre ebenso wie sonstwo in Paris. Da gibt es verborgene Winkel, die man für sich ganz privat entdeckt, vielleicht irgendein kleines Lokal, wo man eine kunstvoll zubereitete brühendheiße Zwiebelsuppe bekommt und einen billigen Rotwein dazu. Und der kleine Napf mit der Zwiebelsuppe darin ist für mich pariserischer als der Sarkophag mit Napoleon darin, beziehungsweise rechne ich ersteres zum eigentlichen Bild von Paris, letzteres eher zum Rahmen. Freilich gehört beides dazu. Gerade bei Paris wäre das impressionistische Bild sicher nicht so französisch ohne den goldenen verschnörkelten Rahmen.

Roland Hill

Auch Irland hat seine Ostfriesen

Die Praxis des irischen Witzes

Von Swift haben die Iren gelernt, Witz und Weisheit zu mischen, wie manche Leute ihr Guinness mit Whiskey, mit dem gleichen berauschenden Effekt. „Wir haben gerade genügend Religion, um einander hassen, aber nicht genug, um einander lieben zu können", sagte der große Dekan. Dieser Schule folgte der in Irland geborene Oscar Wilde: „Ich kann allem widerstehen, nur der Versuchung nicht." Und: „Ein bißchen Ehrlichkeit ist gefährlich, und eine Menge ist absolut tödlich." Auch Bernard Shaw verstand es, irisch witzig zu sein, etwa mit der Feststellung: „Das schlimmste Vergehen unseren Mitmenschen gegenüber ist nicht, sie zu hassen, sondern indifferent zu sein. Das ist das Wesen der Unmenschlichkeit." – „Nichts geschieht je in der Welt, bis die Menschen nicht bereit sind, sich dafür umzubringen, wenn es nicht geschieht." – „Wie kann, was ein Engländer glaubt, Häresie sein? Höchstens ein Widerspruch in sich." Aus derselben Schule kommt auch James Joyce: „Geschichte ist ein Alptraum" und „Der Römer, wie der in seinen Fußstapfen folgende Engländer, hat in allen Gestaden, die er betrat (die unseren hat er nie betreten), nur seine Besessenheit mit den Kloaken hinterlassen. In seiner Toga blickte er um sich und sagte: ‚Es ist recht, daß wir hier sind. Bauen wir uns ein Klo.'" Und irischen Mutterwitz bezeigt der in Paris lebende Samuel Beckett: „Es ist Selbstmord, im Ausland zu leben. Aber was wäre es erst, in der Heimat zu leben: eine schleichende Auflösung." – „Glaubst du an das Leben im Jenseits?" – „Das meine war das schon immer." „Ein recht guter Kopf war ich auch: keine Ideen, aber ein großartiges Gedächtnis." – „Gibt es ein irisches Wort für mañana?" erkundigte sich ein Spanier. „Gewiß", wurde ihm geantwortet, „aber es klingt nicht so dringlich wie das spanische."

Aus dem irischen Volkswitz

Hier ist ein besonderer Trinkspruch eines Iren auf seinen englischen Gast: „Auf Ihr Wohl, so gut Sie sind, und auf mein Wohl, so schlecht ich bin. Aber so gut Sie sind und so schlecht ich bin, bin ich doch genauso gut wie Sie, so schlecht ich auch bin."

*

Richter: „Und Sie wollen mir weismachen, daß Sie nur einen Whiskey getrunken haben?"
„Jawohl, Sir." – „Und wo nahmen Sie den zu sich?"
„In verschiedenen Pubs, Sir."

Liebe und Sex

Sean O'Faolain gab vier Erklärungen für die einst, aber heute nicht mehr bezeichnende irische Enthaltsamkeit, die die Männer erst spät heiraten ließ: „Entweder ist der Geschlechtstrieb durch die Religion sublimiert oder durch den Sport erschöpft worden, vom Trunk betäubt oder von einem angeborenen oder erworbenen Puritanismus abgelenkt."

*

„Was die Kirche über Sex lehrt", sagte ein Dubliner Professor, „läßt sich als Wahl beschreiben zwischen ewiger Jungfernschaft und ewiger Schwangerschaft."

*

Der Dichter James Stephen bat George Moore um Rat, wie er sich bei einem formellen Abendessen zu benehmen habe, bei dem er zur Rechten und zur Linken eine Tischdame haben würde. „Merk dir eins", sagte Moore, „fasse sie nicht am Knie an. Frauen wissen instinktiv, ob ein Mann, der sie am Knie berührt, erotische Absichten hat oder nur seine fettigen Finger an ihrem Strumpf abwischen will."

Irische Weisheiten

Schrieb ein Ire in einem Kondolenzbrief an die Witwe eines Kollegen: „Ich kann Ihnen gar nicht sagen, wie leid es mir tut, daß Ihr Mann in den Himmel gegangen ist. Wir waren gut befreundet, und es ist traurig zu denken, daß wir uns nie wiedersehen werden."

*

„Der große Unterschied zwischen England und Irland (sagte ein Politiker) ist, daß man in England sagen kann, was einem beliebt, solange man nur das Richtige tut; in Irland kann man tun, was man will, solange man nur das Richtige sagt."

*

Brigid versucht ihr Glück in London und bringt es zu Geld und sogar einem Pelzmantel, den sie stolz bei einem Besuch in der Heimat trägt.
„Wie hast du denn den gekriegt?" staunt die Mutter.

„Mutti", sagt Brigid, „ich muß dir ein Geständnis machen. Ich bin Prostituierte geworden."

Worauf die Mutter in Ohnmacht fällt. Als sie wieder zu sich kommt, fragt sie erregt: „Was hast du gesagt?"

„Ich bin Prostituierte geworden!"

„Gott sei's gedankt, ich dachte, du hättest gesagt, du wärst Protestantin geworden."

*

Paddy geht nach London, weil sein Freund Kelly geschrieben hat, wie gut es ihm dort gehe und er die Zeit nur so verbringe, das Geld von der Straße aufzulesen. Und als Paddy am Bahnhof ankommt, was findet er da auf der Straße? Eine Pfundnote. Er hebt sie auf, ganz baff vor Erstaunen, daß das, was Kelly geschrieben hat, auch wirklich zutrifft. Aber dann wirft er die Pfundnote wieder weg und sagt: „Hat doch keinen Sinn, mein Leben hier schon mit Sonntagsarbeit zu beginnen."

Irlands Ostfriesen

Das „Königreich" Kerry, wie sich die südwestliche Provinz Irlands mit besonderem Stolz nennt, hat eine Variante der Paddy-Witze anzubieten, die sich durch die besondere geistige Wendigkeit seiner Bürger auszeichnet. Die „Kerrymänner" sind eindeutig Vettern der Ostfriesen und ähnlicher Typen anderer Länder und offenbar die Erfinder der großen Mehrheit dieser Witze, in denen sie ihre Überlegenheit über andere Regionen Irlands bekunden, die allein darin besteht, daß man in Kerry offenbar mehr als anderswo imstande ist, über sich zu lachen.

„Kennen Sie den neuesten Kerrymann-Witz?" fragte der Barmann in dem Dubliner Hotel. „Hören Sie mal", sagte der Gast kühl, „ich komme aus Kerry."
„Macht nichts", meint der Barmann, „ich erzähle ihn ganz langsam."

„Geben Sie mir einen Martinus", sagte der Kerrymann in der Bar. „Sie meinen wohl einen Martini, Sir?" erwiderte der Barmann. „Hören Sie, wenn ich zwei will, sage ich das schon."

Oder kennen Sie den von dem Kerrymann, der sich Wasserski zulegte und dann wütend war, daß er keinen See mit Abhängen fand. – Oder den von dem Kerrymann, der zum Zahnarzt ging, um sich einen Weisheitszahn einsetzen zu lassen. – Oder den von dem Kerrymann, der eine Herztransplantation hatte und an den Geber schrieb: „Hoffentlich geht's dir bald wieder gut." – Oder die beste Methode, ein U-Boot aus Kerry zu versenken? An die Tür klopfen. – Und was auf dem Boden der in Kerry verkauften Bierflaschen steht? Am anderen Ende öffnen. – Oder was auf der obersten Sprosse der in Kerry verkauften Leitern steht? Stop. – Oder wie man einen Kerrymann am Montagmorgen zum Lachen bringt. Indem man ihm am Freitagabend einen Witz erzählt.

Ein Kerrymann wird als Diener im Schloß angestellt, aber eines Tages läßt er eine kostbare Ming-Vase fallen.
„Um Gottes willen, wissen Sie, was Sie da angestellt haben?" sagte die Dame des Hauses. „Diese Vase war über 1000 Jahre alt."
„Tut mir furchtbar leid, gnädige Frau. Nur gut, daß sie nicht neu war."

Ein Kerrymann schreibt folgenden Brief an den Herausgeber seines Lokalblattes: „Verehrter Herr, vorige Woche verlor ich meine goldene Taschenuhr. Gestern brachten Sie mein Verlustinserat, und schon am Abend fand ich die Uhr in der Hosentasche meines anderen Anzugs. Gott segne Ihre Zeitung."

Klaus Mampell

Zwischen Sandwich und Truthahn

Den Amerikanern wird nachgesagt, sie hätten einen großen Mund. Stimmt das oder stimmt das nicht? Ist in Amerika wirklich alles besser und schöner und größer, und
gibt es da wirklich mehr von allem als irgendwo sonst?
Was letztere Frage betrifft, so läßt sie sich mindestens für
Sandwiches bejahen. Schau bloß einmal in einem drug-
store am lunch counter auf der Menükarte nach, was es da
alles gibt, nämlich nicht nur Hamburger, was ja auch eine
Art Sandwich ist, sondern Cheeseburger, Shrimpburger,
Nutburger, Popburger; oder du kannst dir einen Sloppy
Joe Sandwich bestellen, falls du dir etwas darunter vorstellen kannst, und wenn nicht, dann ist da ein Sardine
Swiss-cheese Sandwich, was sehr originell anmutet, oder
ein Potato, Egg and Cheese Sandwich, auch eine ungemein gemischte Mischung, oder du nimmst dir einen Pea-
nut butter, Baked beans and Dill pickle Sandwich, was du
sicher auch in keinem anderen Land bekommst, und da
gibt es noch Dutzende anderer Arten, so daß du gar nicht
weißt, was du wählen sollst, und deshalb wählst du am besten das, was der Amerikaner neben dir nimmt, und der
bestellt einen Tuna Egg Three-decker. Du wirst dann
schon sehen, worum es sich dabei handelt.
Ein Three-decker besteht aus drei Scheiben Toast, und
zwischen je zwei ist etwas dazwischen. In diesem Fall befindet sich im unteren Stockwerk Thunfisch gemischt mit

Stangensellerie und sehr viel Mayonnaise, und im oberen Stockwerk ist die Mayonnaise gemischt mit chili sauce und pickle relish und Scheibchen von gestopften grünen Oliven, und darauf sind Scheiben von hartgekochtem Ei, und darauf ist eine Tomatenscheibe, und darauf ist ein Blatt iceberg lettuce, und darauf ist die oberste Scheibe Toast, und darauf fehlt dann bloß noch fürs Richtfest ein Tannenbaum.

Der Three-decker Sandwich liegt vor dir auf dem Teller, und da es in Amerika üblich ist, zu einer solchen Speise Kaffee zu trinken, steht bei deinem Teller eine Tasse Kaffee, von der du einen Schluck nimmst, während du den Sandwich betrachtest und dir überlegst, wie du ihn zum Munde führen sollst. Du mußt ihn in beide Hände nehmen, aber das ist nicht leicht, weil die Spanne vom unteren bis zum oberen Teil des Three-deckers die Spannweite deiner Hände strapaziert. Wenn es dir schließlich doch gelingt, führst du den Sandwich aber nicht zum Munde, sondern du führst den Mund zu ihm, indem du die Ellbogen auf den lunch counter stützt und den Three-decker da in Mundhöhe hältst, um dich ihm mit aufgesperrtem Rachen zu nähern. Aber während du das tust, sperrt sich auch der Sandwich gegenüber deinem Rachen auf, und je fester du hinten drückst, desto weiter geht er auf, und während dir der Speichel aus den Mundwinkeln quillt und du die Maulsperre bekommst, glitscht die Tomatenscheibe aus dem Sandwich heraus und fällt dir auf den Schoß, zusammen mit Eier- und Olivenscheiben und ziemlich viel Mayonnaise.

Das war offenbar die falsche Methode, einen Three-decker anzupacken. Deshalb kneifst du ihn jetzt an der dem Mund gegenüber befindlichen Seite zu, damit du hineinbeißen kannst, aber das hat zur Folge, daß hinten alles herausgepreßt wird und dir in die Kaffeetasse fällt, und so schwimmt nun der Thunfisch im Kaffee, was aber keine Katastrophe ist, weil du ihn mit dem Kaffeelöffel herausfischen und getrennt vom Sandwich verspeisen kannst. Nur schmeckt der Thunfisch jetzt nach Kaffee, aber dafür schmeckt der Kaffee nach Thunfisch, und so geht kein Geschmack verloren.

Doch um Geschmacksachen geht es hier eigentlich nicht, sondern es geht um die ursprüngliche Frage, ob Amerikaner einen großen Mund haben. Was nun den Amerikaner neben dir betrifft, der aß den gleichen Sandwich, ohne daß ihm das alles passierte, und die Erklärung dafür liegt auf der Hand. Wie in Amerika alles größer ist, so sind auch die Menschen größer, und der Amerikaner neben dir hat seiner Größe entsprechend einen so großen Mund, daß er ohne Schwierigkeit in einen Triple-decker hineinbeißen kann. Und deshalb lautet die Antwort auf die obige Frage: Ja, das mit den Amerikanern ist richtig; sie haben wirklich einen großen Mund.

*

Es stimmt schon, daß in Amerika überall ungeheure Mengen von Hamburgers und Hot Dogs und Chocolate Malts konsumiert werden, und überall schmeckt das alles gleich. Aber diese amerikanischen Magenfüller werden ja vor allem während der knappen Imbißzeit geschluckt, und dafür sind sie noch nicht einmal so schlecht, jedenfalls nicht schlechter als die Würstchen und belegten Brötchen, die man hierzulande aus ähnlichem Anlaß vertilgt. So oder so hat das alles mit der amerikanischen Küche nicht eben viel zu tun.

Es gibt Amerikabesucher, die sich auf ihren europäisch kultivierten Gaumen viel zugute halten, und die wenden

Zwischen Sandwich und Truthahn

gegen die amerikanische Küche ein, sie sei kunstlos und überhaupt so ohne. Vielleicht ist an diesem „so ohne" sogar etwas dran. Wenn man in einem guten amerikanischen Restaurant eine Scheibe von einem Rindsbraten mit der Bezeichnung „Prime Rib of Beef" bekommt, dann liegt da nämlich auf dem Teller ein sehr großes dickes Stück Fleisch ohne Drum und Dran. Da ist keine „Sauce à la quelque chose". Tatsächlich, da ist das Fleisch ganz ohne. Aber ist es deshalb schlecht? Ich sage: Eben deshalb ist es gut; denn alles, was man dazutäte, würde es weniger gut machen. So etwas Herrliches wie „Prime Rib of Beef" bekommt man ja nur in Amerika, und bei dieser höchsten Qualität Rindfleisch kommt es darauf an, wie das Rind gefüttert, beziehungsweise gemästet wurde. Das ist der Unterschied zwischen der amerikanischen und der europäischen Küche. Bei uns wird bei den meisten Speisen ziemlich viel gefummelt, um etwas zu beschönigen oder zu vertuschen. In Amerika dagegen wird beim Essen nicht gemogelt. Wenn etwas an sich sehr gut ist, dann gibt es daran nichts zu verbessern.

Also: Wenn man nach Amerika reist, sollte man sich „Prime Rib of Beef" nicht entgehen lassen. Es ist teuer, aber es lohnt sich bestimmt. Und noch etwas, worauf man achten sollte: In Amerika ist hervorragendes Lammfleisch gang und gäbe. Wenn man sich „Leg of Lamb" bestellt, wird man merken, daß man in Europa solch erstklassige Lammkeule nur sehr selten auf dem Menü gefunden hat. Auch gut gepökelter und zart geräucherter Schinken in Form eines saftigen Bratens ist in Amerika etwas ganz Gewöhnliches, wogegen man ihn bei uns nur zu sehr hohen Preisen bekommt, falls überhaupt.

Das sind alles regelrechte amerikanische Gerichte, wie man sie in guten amerikanischen Restaurants serviert. Natürlich gibt es in Amerika auch jederlei ausländisches Restaurant mit exotischen Gerüchen und Geschmäcken. Aber schließlich geht man nicht in die Vereinigten Staaten, um mexikanisch oder italienisch oder deutsch oder chinesisch zu essen. Und wenn beispielsweise ein Deutscher aus dem Schwabenland auf Spätzle schwört und dazu auf saure Nieren oder saure Leber und auf sehr sauren Salat oder sonst etwas furchtbar Saures, wird er so etwas in Amerika nicht einmal in einem deutschen Restaurant finden. Diese Restaurants sind ja besonders für die Einheimischen da, und ein Amerikaner würde solches Zeug nicht essen.

Begeistert sich jemand andererseits für französische Chablis- und Cognac-Saucen, die alles so verfeinern, ob Jakobsmuscheln oder Langustinen, so wird er enttäuscht sein, wenn er in Amerika diese Meeresfrüchte unter dem Namen „Scallops", beziehungsweise „Jumbo Shrimps" ganz einfach paniert in Fett gebraten, dafür aber in rauhen Mengen bekommt, anstatt à la nouvelle cuisine française in winzigen Würfelchen, die man in der Sauce nur noch mit dem Vergrößerungsglas entdeckt und so gut wie nicht mehr schmeckt. Nein, gemogelt wird nicht mit dem Essen.

Aber wie steht es mit dem Trinken? Gibt es da überhaupt ein gutes Bier? – Wenn man die Biere aus Saint Louis und Milwaukee versucht, können die besten davon sicher neben den europäischen Bieren bestehen. – „Gut", mögen Amerikareisende nach ihrem Kurzbesuch in New York oder Florida sagen, „aber vom Wein verstehen die Amerikaner nichts; das heißt, es gibt keinen guten amerikanischen Wein." – Offenbar kennen solche Pseudo-Weinkenner nicht die Weine aus Nappa Valley, wohl dem besten Weinbaugebiet Kaliforniens. Bei den dortigen

Weißweinen, die es unter den Bezeichnungen „Riesling"
und „Gewürztraminer" gibt, oder den Rotweinen, die als
„Pinot Noir" und „Cabernet Sauvignon" gekennzeichnet
sind, ist da für jeden echten Weinkenner eine Frucht und
eine Blume, die auch in Frankreich und in Deutschland
nicht leicht zu finden ist.

Und wenn wir schon beim Trinken sind: Wo gibt es sonst
noch solche köstlichen Cocktails wie in Amerika? Was da
allein mit Saft duftender Limonen in genau der richtigen
Nuancierung zusammengeschüttelt wird, ist viel mehr als
bloß ein Aperitif. Und verglichen mit den feinsten Whis-
keys aus Kentucky und aus Tennessee wirken die meisten
scharfen Sachen aus Europa ziemlich ordinär.

Wie die Amerikaner bei ihren Cocktails die Getränke raf-
finiert aufeinander abstimmen können, so machen sie es
beim Essen mit den Salaten. Was es da an Vielfalt und
Buntheit gibt, mit vielerlei Früchten wie Avocados darin,
das macht den Amerikanern kaum ein Europäer nach.

Unter den süßen Speisen sollte man besonders etwas versuchen, was aus echt amerikanischen Früchten zubereitet
ist, etwa aus Pecan-Nüssen. Allerdings, wer „Pecan-Pie"
ißt, sollte lieber nicht die Kalorien zählen. – Und dann,
oh, der Ahorn-Sirup, ich meine, der echte vom Saft der
Ahornbäume! Zumeist unecht bekommt man ihn ja zum
herzhaften Frühstück auf die Pfannkuchen oder auf die
Waffeln, dazu ganz zart geräucherten Speck oder wür-
zige Würstchen. Und das ist ja auch nicht schlecht.

Also, Hamburgers, die gibt es natürlich in Amerika, das
weiß jeder. Aber nicht jeder weiß, daß es auch noch ganz
anderes gibt, zum Beispiel Prime Rib of Beef.

*

Das Truthuhn stammt aus Amerika, obgleich es auf englisch „turkey" heißt, als stamme es aus der Türkei. Die Indianer hatten Truthühner schon seit Urzeiten domestiziert, und die ersten amerikanischen Siedler adoptierten diese Vögel alsbald. Ein Truthuhnessen ist also etwas ungemein Amerikanisches. In den USA ist es das populärste Essen überhaupt. Es enthält in sich die Essenz der amerikanischen Küche. Um ein solches Truthuhnessen kennenzulernen, sollte man sich dazu einladen lassen, und das ist nicht schwer. Im Gegenteil; es wäre in Amerika schon schwer, nicht zu einem Truthuhnessen eingeladen zu werden, besonders zu Thanksgiving, dem amerikanischen Erntedankfest Ende November, dann aber auch zu Weihnachten oder zu Neujahr, und auch sonst werden in Amerika ungeheuer viele Truthühner verspeist, und je größer sie sind, desto beliebter sind sie. Was ein rechtes amerikanisches Truthuhn ist, das fängt bei zehn Kilo erst an, und wenn es fünfzehn Kilo wiegt, dann ist es um so besser. Truthähne sind noch schwerer als Truthennen und können dieses Schwergewicht sogar noch überschreiten.

Da so ein Vogel zu groß ist, um auch von einer großen Familie verkraftet zu werden, und da die Amerikaner die gastfreundliche Geselligkeit lieben, erhält man also leicht die Einladung: „Come and help us eat our turkey!" Und darum wollen wir kommen und helfen, wobei wir aber vorher den Gastgebern wohl schon helfen müssen, fleißig Cocktails zu trinken und die dazu gereichten gesalzenen Nüsse zu essen, und zwar von beidem so reichlich, daß wir uns keinesfalls heißhungrig zu Tisch setzen können, wenn zum Angriff auf das Essen geblasen wird. Immerhin macht es Appetit, zuzuschauen, wie der Herr des Hauses den Riesenvogel tranchiert, einige Scheiben von der Brust und vom Bein auf den ihm jeweils gereichten Teller legt und das aus Weißbrotkrümeln vermischt mit Butter und Sellerieblättern bestehende Füllsel darauf löffelt. Dann wandert der Teller vom Herrn des Hauses durch die Hände der Familienmitglieder und Gäste links oder rechts hinunter zum anderen Ende der Tafel, wo die Dame des Hauses jeden Teller mit den Beilagen versorgt.

Die Dame des Hauses hat mehrere Schüsseln vor sich stehen, zunächst eine mit Kartoffelbrei, und sie fragt nicht, wieviel man will; man ißt, was man bekommt. Jeder wird gleich behandelt, ob Kinder oder Großeltern oder sonstige Verwandte oder wie die Freunde, die geladen sind. Vorzugsbehandlung gibt es nicht in dieser Demokratie. Sowieso weiß die Dame des Hauses ebensowenig wie der Herr des Hauses, bei wem der Teller schließlich landet. Sie löffelt darauf, was darauf geht. Auf den Kartoffelbrei wie aufs Füllsel und aufs Fleisch kommt sehr reichlich Soße; denn die Amerikaner machen zum Truthuhn eine unheimliche Menge Soße, die hauptsächlich aus Fett und Mehl besteht und daher sehr sättigend ist. Jedenfalls wird das Truthuhnfleisch auf dem Teller hiermit schon unsichtbar.

Doch mit den Beilagen sind wir noch nicht fertig. Jetzt kommen noch die Yams, die mit braunem Zucker zubereitet werden, und sie halten ungefähr die Mitte zwischen dem Kartoffelbrei und dem Gemüse, das jetzt von der Dame des Hauses neben die Yams gehäuft wird, wo noch ein wenig Platz auf dem Teller ist. Es mögen Erbsen oder Rosenkohl sein, und man kann von Glück sagen, wenn nicht noch ein weiteres und ebenso sättigendes Gemüse auf den Teller kommt. Die Amerikaner kennen besonders bei einem Thanksgiving-Essen kaum irgendwelche Grenzen. Nur geht jetzt auch wirklich nichts mehr auf den Teller außer einer dicken Scheibe Preiselbeergelee; die muß noch darauf, selbst auf die Gefahr hin, daß dies das Fassungsvermögen auch eines großen Tellers übersteigt.

Und doch sind wir noch nicht fertig. Es gibt kaum einen amerikanischen Haushalt, in dem man nicht auch Brot oder „muffins" – das sind eine Art hausgemachte Semmeln – mit viel Butter zum Essen servierte. Und damit nicht genug. Es ist in Amerika unumgänglich, daß man rohe Vegetabilien zu sich nimmt, und deshalb stehen in der Mitte des Tisches Platten mit Schnittzwiebeln und Radieschen und Oliven und Stangensellerie, und die ist dazu noch mit Rahmkäse bestrichen. Und dann bekommt man der Sicherheit halber noch eine weitere Speise auf einem kleineren Teller neben dem großen Teller; sie besteht aus Fruchtgrütze mit geschnipselten Karotten und geraspelten Paprikaschoten darin. Aber hiermit nähern wir uns tatsächlich dem Ende der Darbietungen. Alle Teller sind beladen. Herr und Dame des Hauses nehmen die letzten zwei Teller für sich. Die bis dahin geduldig wartende Tischrunde darf mit oder ohne ein vom Herrn des Hauses gesprochenes Gebet auf das Kommando: „Okay, let's eat!" das Mahl beginnen, ohne daß man vorher anstößt, denn die mit ice water gefüllten Wassergläser klängen nicht gut.

Nun also versucht man, unter all dem, was da auf dem Teller liegt, an das Truthuhnfleisch heranzukommen, und wenn man es geschafft hat, stellt man fest, daß es so zart und saftig und wohlschmeckend ist, wie nur ein in Amerika gemästetes riesengroßes Truthuhn so etwas fertigbringt. Aber man muß sich halt auch durch all das andere hindurchessen, und wer zu Anfang des Essens von dem Truthuhnfleisch nicht genug bekommen konnte, schnappt nach Luft, wenn der Herr des Hauses ihm noch einige Scheiben nachlegen will, und wehrt dieses Ansinnen ab. Schließlich weiß man, daß als Nachtisch des Thanksgiving-Essens noch die obligate Kürbistorte kommt, und zu diesem „pumpkin pie" muß man sehr viel Kaffee trinken. Und man will auch das überleben.

Aber gut war es auf jeden Fall. Amerikanisch enorm. Enorm amerikanisch.

Bernd Schmitz

Deftiges aus dem Münsterland

Der Alte Fritz in Westfalen

Der Alte Fritz, so wird erzählt, wollte auch einmal seine
Westfalen besuchen. In der Gegend von Bielefeld fuhr er
mit einem Landrat über Land.

Die Gegend gefiel ihm, er ließ Pferde und Wagen in einer
Herberge im Dorf zurück und ging zu Fuß weiter, um einmal zu sehen, wie die Bauern auf dem Lande arbeiteten,
und zu hören, was dieser Menschenschlag über das Leben
dachte.

Die beiden verirrten sich jedoch, und der Alte Fritz
schlug vor, die Nacht in einem Bauernhaus zu verbringen; denn dabei könnten sie die Leute am besten kennenlernen.

„Wollen aber inkognito bleiben", sagte der König und riß
seine breiten roten Biesen von der Hose, krempelte seinen
Dreispitzhut um und knöpfte seinen Mantel bis zum Hals
zu, so daß von seinen Abzeichen nichts mehr zu sehen war
und er für einen ganz gewöhnlichen Menschen gehalten
werden konnte.

„Er muß jetzt sprechen", sagte der König, „mich werden
die Leute nicht verstehen."

So gingen sie ins nächste Haus. „Wir wünschen allen einen guten Tag!" sagte der Landrat, „können wir vielleicht
heute nacht hierbleiben? Wir haben uns verlaufen, und es
ist bereits dunkel geworden."

Der Bauer saß am Herd; sah die beiden mißtrauisch an

und sagte, ohne dabei seine kurze Pfeife aus dem Mund zu nehmen:

„Ihr scheint mir die richtigen Landstreicher zu sein. Bei euch haben sich die Schwielen an den Händen wohl schon zurückgebildet. Na, meinetwegen könnt ihr hier bei mir übernachten. Aber morgen früh um 5 Uhr müßt ihr aufstehen und dreschen helfen. Habt ihr verstanden?"

Der Landrat sah den König verstohlen an, und als dieser keine Miene in seinem faltigen Gesicht verzog, sagte er: „Jawohl, einverstanden!"

Dann mußten die beiden sich setzen und essen: kalte Grütze, eine ganze Pfanne voll Wurstebrot, Schwarzbrot mit Butter und Schinken und Speck.

„Jetzt aber ins Bett!" sagte der Bauer, als sie mit dem Essen fertig waren. „Morgen müßt ihr zeitig wieder heraus." Dann brachte er sie zu einer höher gelegenen Kammer und schloß die Tür hinter sich zu.

Da stand nun der Alte Fritz mit seinem Landrat vor einem riesigen zweischläfrigen Bett.

„Eine mauvaise Geschichte", sagte der König. „Leg Er sich vorn hin, ich werde hinten an der Wand schlafen."

Sie zogen sich aus, und der Alte Fritz kroch zuerst ins Bett und legte sich an die Wand. Der Landrat kroch nach und machte sich vorn sein Lager zurecht.

„Nicht zu glauben!" sagte der König, „man versinkt ja in dem Stroh, und das kolossale Federbett liegt wie ein Gebirge auf dem Bauch."

Der Landrat bedauerte, daß es dem König nicht gefiel.

„Oh", meinte der Alte Fritz, „gefällt mir sehr gut, aber, was wird Er morgen früh machen?"

„Ja", kam es etwas angstvoll zurück, „das weiß ich wirklich nicht; ich kann überhaupt nicht mit Dreschflegeln umgehen."

„So? Er kennt keine Flegel? Weiß nicht, damit umzugehen? – Na, dann wird Er's wohl lernen müssen. Der Bauer sieht nicht aus, als ob er bloß Spaß mache."

Der Landrat dachte, der König soll auch wohl nichts davon verstehen, und schwieg. Zuletzt schliefen sie ein und träumten, der Alte Fritz von seinen Schlachten im Siebenjährigen Krieg, und der Landrat schlug sich mit Kerlen herum, die alle mit Flegeln auf ihn losgingen.

Am anderen Morgen wachten sie schon vor 5 Uhr auf. Von der Tenne her hörten sie Geräusche: Klipp-klapp-klipp. Das waren die Drescher. Sie schlugen im Takt, daß das Stroh nur so staubte.

„Majestät, werden wir aufstehen?"

„Nein", sagte der König, „abwarten, was der Bauer mit uns anstellt."

Da rief dieser auch schon zu ihnen hinauf:

„He, ihr Langschläfer. Wollt ihr wohl endlich aufstehen?!"

Als sich nichts rührte, kam der Bauer in die Kammer gestapft.

„Ihr Faulpelze, ich sage euch nur das Eine: wenn ihr nicht in kürzester Zeit unten zum Dreschen erscheint, dann sollt ihr mal ungebrannte Asche kennenlernen!"

Damit verschwand er.

„Majestät", sagte der Landrat, „jetzt wird's kritisch. Wir werden wohl aufstehen müssen."

„Nein!" sagte der Alte Fritz, „bleib liegen!"

Nach zehn Minuten ungefähr stieß der Bauer die Tür von neuem auf. Er sagte kein Wort, sondern schlug mit einem schlanken Haselnußstecken heftig auf den Landrat ein, weil der ihm am nächsten bei der Hand war, und machte dabei ein Gesicht, so ernst und andächtig, als wäre er in der Kirche und betete. Der Landrat warf sich hin und her und jaulte wie ein Hund, der von seinem Herrn bestraft wird.

„So", das war alles, was der Bauer sagte, und ging wieder. Der Landrat rieb sich hinten und rieb sich vorn; der König aber meinte tröstend:

„Mein Lieber, lege Er sich jetzt einmal an meine Stelle. Ich wette, der grobe Kerl kommt noch einmal. Dann soll Er nicht zum zweiten Mal die Prügel beziehen. Ich werde mit dem Bauern schon fertig."

Es dauerte nicht lange, da kam der Bauer wieder zurück. Er stürzte sich sofort auf den Landrat:

„Der da vorn hat es vorhin schon bekommen. Jetzt sollst du da hinten deine Schläge kriegen, aber noch etwas herzlicher!"

„So! Und wenn ihr jetzt nicht sofort herunterkommt, dann schicke ich alle Drescher mit ihren Flegeln hinauf, die sollen euch mal richtig das Fell versohlen. Bin gespannt, was ihr dann für ein Gesicht macht."

„Bekomm's Ihm gut!" sagte der König in aller Gemütsruhe und klopfte dem Landrat, der ihn völlig verdattert anschaute, auf die Schulter. „Aber nun heraus! Sonst wird der Bauer noch ausfälliger als mein bester Potsdamer Korporal."

Sie zogen sich an und gingen hinunter. Der König hatte seinen Hut wieder umgekrempelt, seinen Mantel trug er offen, so daß man die Sterne und Ordensbänder auf seinem Rock sehen konnte. Die Drescher hatten schon allerhand spitze Reden zum Empfang auf der Zunge, als sie aber die vornehmen Herren in den feinen Uniformen sahen, glotzten sie nur und wagten nicht, sich zu rühren. Der Landrat stellte vor: „Seine Majestät!"

Da sackte der Bauer in sich zusammen und wurde kreidebleich. Einen Augenblick dachte er daran auszukneifen, aber dann schwirrten tausend Gedanken durch seinen Kopf, und zuletzt dachte er nur noch eins: Jetzt wirst du sofort geköpft oder im besten Falle erschossen!

Der König sagte etwas zu ihm. Zuerst verstand er nichts, aber nach und nach kam er dahinter, was dieser gesagt hatte:

„Sei Er nur ruhig! Er ist ein braver Kerl, paßt in die Welt."

Da erst wagte er, dem König in die Augen zu blicken. Dieser fuhr fort und gab sich dabei alle Mühe, sehr streng auszusehen:

„Aber Strafe muß sein. Für die Hiebe, die er seiner Obrigkeit versetzt hat, gebe er uns gleich mal ein gutes Frühstück!"

Nun kam wieder Leben in den Bauer. Er schob die Drescher beiseite, rief seine Frau und schleppte selbst das Beste zusammen, was er in Küche und Keller hatte. Der Alte Fritz und der Landrat ließen es sich schmecken, und der Bauer goß indessen etwas aus einer Steinkruke in ein Glas, das vor ihm stand.

„Was ist das für ein Getränk?" fragte der König neugierig.

„Das ist das reine Wort Gottes", erklärte stolz der Bauer.

Der Alte Fritz aber blickte verwundert den Landrat an.

„Majestät, so nennt man hierzulande einen alten Kornschnaps."

„So", meinte der König, „die Westfalen halten also den Schnaps für ebenso gut wie eine Predigt. Sehr praktisch – aber ein bißchen sehr bequem! Gefällt mir sogar. Aber nicht zu fromm werden, mein Lieber, nicht zu fromm!"

Ein Pastor – so wird im Münsterland der katholische Pfarrer genannt – ein Pastor machte einmal Hausbesuch bei einem alten Bauern. Dieser gehörte zu jener Sorte Menschen, die sich für 5 Pfennige mit dem Beil eine Bohnenstange auf dem Kopf anspitzen lassen, oder, wie man anderswo sagt, sich für 5 Pfennige durchs Knie bohren lassen.

Alles, was er bekommen konnte, hatte er zusammengerafft, Grund und Boden und Geld, und das oft auf eine Art und Weise, als ob das siebte Gebot gar nicht existierte in der Welt. Aber jetzt stand es schlimm um ihn, und er fühlte, daß es mit ihm zu Ende ging und er den ganzen geliebten Besitz den Erben hinterlassen mußte.

Jetzt muß mein Wort doch wohl Wirkung haben, dachte der Pastor und fing an, ihm ins Gewissen zu reden. Zuerst versuchte er es im Guten, aber nach und nach wurde er immer schärfer und deutlicher.

„Willst du denn die ganze Ewigkeit lang im höllischen Feuer sitzen und brennen, bloß weil du von deinem ungerecht erworbenen Gut nichts zurückgeben willst?"

Aber ein Münsterländer Bauer ist zäh, und was er einmal in seinem Beutel oder auf dem Hof hat, davon trennt er sich nicht gern, selbst dann nicht, wenn er drauf und dran ist, aus der Welt zu gehen und nichts von diesem Leben mehr genießen kann.

Unser Bauer blieb verstockt. Zum Schluß aber gab ihm die Sache mit dem Brennen in der Hölle doch zu denken.

„Holt mir mal eine Kerze!" sagte er.

Die Kerze wurde geholt, und der Pastor hatte wieder Hoffnung.

„Steckt sie an!" sagte der Bauer.

Sie wurde angesteckt.

Dann nahm er die Kerze in die linke Hand und hielt einen Finger der rechten Hand in die Flamme. Er wollte ausprobieren, wie weh das tat.

Nun hatte er aber so dicke Schwielen an den Händen, daß das Feuer gar nicht an das lebendige Fleisch kam.

„Das läßt sich aushalten!" sagte er großmächtig, „ich laß es darauf ankommen!"

Der Pastor wollte noch sagen, daß nur der „irdische Leib" Schwielen habe, aber da drehte sich der Bauer schon zur Wand und starb.

Familienangelegenheiten

Ein Bauer zieht mit seinem Ochsengespann über einen schmalen Weg. Da kommt ihm der Herr Amtmann entgegen. Ausweichen ist unmöglich: Links befindet sich ein Wassergraben und rechts ein Wassergraben.

Der Amtmann bleibt stehen, und die Ochsen bleiben stehen und schauen den Amtmann mit ihren großen Augen an.

Da ruft der Amtmann:

„Na, sagen Sie mal, muß der Amtmann den Ochsen ausweichen oder müssen die Ochsen dem Amtmann aus dem Wege gehen?"

Der Bauer kratzt sich verlegen hinterm Ohr und sagt:

„Wissen Sie, da mische ich mich nicht gerne ein, das machen Sie am besten mit den beiden allein aus. Das sind Familienangelegenheiten."

Früher standen die Fuhrleute in einem schlechten Ruf. Man sagte ihnen Roheit gegen ihre Pferde, Saufen und Fluchen und, was noch schlimmer ist, Stehlen und Betrügen nach.

So ein Fuhrmann kam einmal in die Kirche und beichtete dem Pastor seine Sünden. Da ihm der Umgang mit Worten nicht leicht fiel, fing der Pastor an, ihn zu fragen.

„Sag mal, wie oft hast du deine Pferde geschlagen und wie oft geflucht?"

„Ja, das werde ich wohl jeden Tag getan haben."

„Und wievielmal hast du die Leute, für die du gefahren bist, betrogen?"

„Ja, so gut es ging, habe ich das immer getan."

„Wievielmal bist du betrunken gewesen?"

„Ja, wenn ich an einem Wirtshaus halten mußte, habe ich dem Wirt immer etwas zu verdienen gegeben."

„Das geschah also Tag für Tag. Und wievielmal hast du den anderen Fuhrleuten Heu und Hafer gestohlen und es deinen eigenen Pferden gegeben?"

„Ja, wenn die anderen nicht scharf aufpaßten, dann konnte ich es einfach nicht lassen. Aber darf ich nun auch mal etwas fragen?"

„Ja, nur zu!"

„Dann sagen Sie mir doch mal, Herr Pastor, sind Sie früher auch Fuhrmann gewesen?"

Er ist verrückt geworden

Der alte Schulte Lewedag war Witwer, und seine Haushälterin, die fuchsige Lisbeth, war ein Frauenzimmer mit einer unglaublich langen Nase in ihrem verschrumpelten Gesicht und hielt den Mann äußerst kurz.

Zwar nicht in allen Dingen, aber wenn der Schulte es mal im Magen oder im Kopf hatte oder wenn ihn Leibschmerzen plagten, und er meinte: „Lisbeth, geh in den Keller und hol meinen alten Klaren, ich halte es nicht mehr aus", dann schaute ihn Lisbeth höchst mißtrauisch an, schräg über die Nasenspitze weg, und sagte kurz angebunden: „Ne Schulte, dat slaoht ju män ut'n Sinn!" Und auf Hochdeutsch setzte sie noch hinzu, was sie in der Predigt gehört hatte: „Schnaps ist das Getränk des Teufels." Dann zog Schulte Lewedag wie ein begossener Pudel ab und dachte bei sich: Was will man gegen einen so giftigen Blick machen?

Eines Tages, als es wirklich schrecklich in seinem Leib rumorte, ging er zum Arzt und erzählte ihm sein Leiden.

„Ja, ja", sagte der, „wenn's mal wiederkommt, dann trinken Sie am besten einen heißen Grog."

„Gerne, Herr Doktor, aber meine Haushälterin, die meint, ja die ist so gegen das ‚reine Wort Gottes', die meint dann sicher, ich würde zum Säufer."

„Ich verstehe schon, aber dann verlangen Sie doch einfach heißes Wasser, sagen, es sei zum Rasieren, und brauen sich den Grog selber, das fällt dann weiter nicht auf."

Etwa acht Tage später kam die Haushälterin zum Doktor gerannt. „Um Gotteswillen", rief sie, und ihre Nasenspitze wippte auf und nieder, „Herr Doktor, kommen Sie doch sofort! Unser Schulte ist völlig verrückt geworden. Fünfmal am Tag rasiert er sich."

Es war einmal ein Bauer, der einen Prozeß führte. Er.bekam eine Rechnung von seinem Advokaten, und die war so hoch, daß er einen Schrecken bekam. Sofort ging er zu einem anderen Advokaten und fragte, ob der Kerl für so wenig Arbeit eine so hohe Rechnung ausschreiben dürfe?

Aber eine Krähe hackt der anderen kein Auge aus, und so sagte der Advokat:

„Ja, mein Lieber, das ist Kopfarbeit, die wird teuer bezahlt."

Nun mußte der Bauer diesem Advokaten einmal eine Fuhre Kartoffeln liefern. Er fuhr mit seinen Ochsen vor und lud die Kartoffeln ab, und als der Advokat bezahlen wollte, machte der große Augen über den hohen Preis.

„Das ist ja viel zu viel. Wie haben Sie das überhaupt gerechnet?"

„Für 20 Zentner Kartoffeln 60 Mark und fürs Bringen 120 Mark."

„Fürs Bringen 120 Mark?"

„Jawohl, Herr, das ist doch Kopfarbeit. Oder meinen Sie, daß meine Ochsen die Fuhre mit dem Schwanz gezogen haben?"

Karl-Heinz Kerber

Berliner Originale

Bolle war ein Berliner Milchhändler. Sein Grab befindet sich auf dem alten Berliner Matthäus-Friedhof am S-Bahnhof „Großgörschenstraße". Die Berliner Bolle-Milchwagen waren eine stadtbekannte Erscheinung. Hiervon rührt die Redensart her: „Er ist vajniegt wie Bolle", wobei an die Berliner Milchjungen gedacht war, von denen immer zwei auf den rückwärtigen Sitzen des Bolle-Milchwagens Platz hatten, und die die Milchflaschen austrugen. Es gab bereits damals einen sehr ausgeprägten „Dienst am Kunden"!

Das erste große Waren- und Versandhaus in Berlin wurde von Rudolf Hertzog errichtet. Hertzog war ein äußerst korrekter Mann und sah darauf, daß seinen Angestellten keine Fehler unterliefen, die ihn in seinem Geschäft schädigen konnten.
Ein Einkäufer ärgerte ihn einmal derartig, daß er eine Depesche an ihn richtete, dessen Wortlaut erhalten blieb:
„Wenn man Ohrfeigen depeschieren könnte, hätten Sie eine!"

Ende der zwanziger Jahre lebte in Berlin der Hypnotiseur und „Hellseher" Hanussen aus Österreich. Hanussen war auch 1932 noch die große Mode in Berlin. Scherzhafterweise erzählte man sich, daß ein Betrunkener beim Verlassen seiner Kneipe zu einem anderen sagte: „Jeh' man da in de Telephonzelle Hanussen anrufen, und laß dir saren, wat deine Olle for'ne Laune hat!"

Noch eine Anekdote vom ‚Hellseher' Hanussen:
„Jehn Se mir mit Hanussen!" sagt Fritze. „Wat kann der schon jroß weissagen. Det kann ick ooch!"
Ungläubiges Lächeln bei allen Zuhörern.
„Det ist aba wahr", sagt Fritze, „ooch ick kann wahrsajen. Erst neulich hab' ick jemandem vorausjesacht, det man ihm die Oojen ausstechen und ihn in kochendet Wassa schmeißen wird!"
„Wie entsetzlich", stöhnt da ein hübsches Mädchen, „und ist Ihre Vorhersage eingetroffen?"
„Aber jenau!" erklärt Krause stolz. „Uff'n Tach jenau."
„Und wem habem Sie das vorausgesagt?"
„Eener Kartoffel!"

Madame Dutitre – hugenottischer Herkunft – ist für die Nachwelt zum Prototyp der Berlinerin geworden. Sie war *das Original* schlechthin. Sie war schon aus dem Schneider raus, über dreißig, als sie sich mit der ihr eigenen Eigensinnigkeit ihren Mann eroberte, den Tuchmacher Etienne Dutitre, der eine Kattunmanufaktur mit über hundert Webstühlen betrieb. Dutitre verkehrte im Hause des Vaters der nicht mehr ganz jungen Frau, fand aber wohl lange nicht den Mut oder die Veranlassung zum Antrag, bis Anne Marie, Petersilie hackend in der Küche, einmal zu der famosen Partie sagte: „Na, Dutitre, Sie möchten woll janz jerne, det ick in Ihre Küche später einmal Petersilie hacke?" So wurde sie Madame Dutitre.

Friedrich Wilhelm III. plauderte gelegentlich gern mit Madame Dutitre. Als die Bankfirma ihres Schwiegersohnes, Gebrüder Beneke, in vorübergehende Schwierigkeiten geraten war, antwortete sie, die an Gicht litt, auf eine Frage des Königs nach ihrem Befinden: „Soweit janz gut, Majestät, bloß mit die Jebrüder Benekins – damit zeigte sie auf ihre Füße – will es nich mehr recht jehn!"

Als Friedrich Wilhelm III. sie bei einer Gelegenheit nach dem Ergehen ihrer in Rom weilenden Kinder fragte, antwortete sie mit einem berühmt gewordenen Scherz: „Danke scheen, Majestäteken, den' jehts jut! Alle Dienstag und Freitag bei Papstens in Rom zum Tee, und die Päpstin so freundlich zu meiner Dochter wie Majestäteken zu mir!"

Einmal hatte sie das von ihr überaus hochgeschätzte Glück, daß ihr der später in einem freundlichen Neckverhältnis mit ihr stehende König Friedrich Wilhelm III. die Hand drückte. Den Handschuh, in dem er ihre Hand gedrückt hatte, legte sie zu Hause unter eine Glasglocke und tat einen Zettel dazu mit den Worten: „Mein König hat mir drangefaßt!"

Madame Dutitre hatte auch vor des Königs Majestät keinen Respekt. Beim Spaziergang Unter den Linden hatte Friedrich Wilhelm III. den Hofknicks der Dutitre übersehen. Sie trat ihm in den Weg und grollte: „Ja, ja, Majestät, Steuern nehm', det könn' Se, aber 'ne olle Berlinerin jrießen, det is nich, wa?"

Der berühmteste Ausspruch der Madame Dutitre ist der, den sie, die Kontakt zum Hofe hatte, Friedrich Wilhelm III. zum Troste sagte, als seine Frau, die Königin Luise, gestorben war: „Ach ja, for Ihnen is et ooch nich so leicht. Wer nimmt heute schon 'n ollen Witwer mit sieben kleene Kinder?"

Madame Dutitre war in einem Konzert in der Singakademie gewesen, wo ein berühmter ausländischer Pianist gespielt hatte. Als sie am anderen Tag gefragt wurde, wie es ihr gefallen habe, sagte sie: „Ooch, ick hab' mir janz gut ammesiert, wenn bloß die eklige Musike nich jewesen wäre!"

Madame Dutitre war auch eine eifrige Theaterbesucherin. Besonders verehrte sie den großen Schauspieler Ludwig Devrient und lud diesen einmal zu einer Feier bei sich ein. Devrient kam diesem Wunsch auch nach und erschien im Salon der alten, liebenswürdigen Dame. Doch gleich, bevor er seine Begrüßungsworte beginnen konnte, sprudelte Madame heraus: „Nu sagen Se mir, Devrientchen, warum sind Se denn, wie Se noch kleen waren, Ihrem Vater fortjeloofen und unter die Lumpenkomödianten jejangen?"
Diese Anspielung auf seine Jugendgeschichte aber brachte den großen Mimen ganz außer Fassung, und seine gute Laune gewann er erst bei Lutter & Wegner bei einer Flasche guten Weines wieder.

Madame Dutitre konnte nicht Französisch, daher wußte sie auch nicht, daß ein Häkchen unter dem Buchstaben c, die Cedille, die Aussprache des c vor a, o, u von k zu ß abwandelt. Nun befand sich unter den ständigen Gästen bei

Madame Dutitre auch ein junger Franzose namens Maçon, den sie beharrlich als Herr Makon vorstellte. Als er auf einem Tanzabend bei Madame Dutitre von dieser wiederum ständig mit seinem entstellten Namen angeredet wurde, bat er freundlich: „Verzeihung, Madame, ich habe ein Cedille unter dem C!" Madame Dutitre nickte geistesabwesend: „Na ja, is man jut!" Aber als sie bald darauf sah, wie Maçon von einer jungen Dame zu einer Extratour gebeten wurde, stürzte sie auf die Ahnungslose zu und schrie: „Nun lassen Se bloß den Makon in Frieden, der darf nicht tanzen. Er hat nämlich wat unterm Zeh!"

Eine gebildete Freundin der Madame Dutitre versuchte einmal, sie in ihrer drastischen Sprechweise zu korrigieren. Jene Dame, die in mißlichen pekuniären Verhältnissen lebte, gab der Dutitre zu verstehen, daß es im Hochdeutschen nicht ‚loofen', sondern ‚laufen' hieße. Da kam sie aber gut bei ihr an!
„Ach wat!" erwiderte die Gescholtene. „Lassen Sie mir zufrieden! Sie sind immer gelaufen, gelaufen! Na, un wat haben Se denn nu Jrosset erwischt? Ick aber bin immer geloofen, geloofen – un nu sehen Se mir an, wie weit ick damit jekommen bin!"

Madame Dutitres Hausarzt war der alte Professor Heim. Es muß ergötzlich gewesen sein, eine Unterhaltung dieser beiden Originale mitanzuhören. Sie verstanden sich sehr gut. Um dem vielbeschäftigten Mann unnütze Laufereien zu ersparen, stand sie in Erwartung ihres Arztes schon immer am Fenster. Kam Heim auf seinem Braunen angeritten, steckte sie die Zunge heraus und rief: „Dokterken, mir fehlt nischt!"

Einst spazierte Madame Dutitre abends die Königstraße entlang, als ein Berliner Ackerbürger seine Rindviecher von den Wiesen am Prenzlauer Tor zurücktrieb. Ein Rindvieh interessierte sich für den reichen Blumenschmuck auf dem Hut der Madame. Laut kreischend stürzte die alte Dame in den nächsten Laden mit den Worten: „Entschuldijen Sie jütigst – hier kommt 'ne olle Kuh!"

Ein Schwiegersohn der Frau Dutitre war geadelt worden. Madame hat dazu einen Ausspruch getan: „Janz scheen – aber det von ohne det l'Argent würde ooch nischt nützen!"

Als sich Herr Dutitre, der Ehemann, zum Sterben niederlegte, buk seine besorgte bessere Hälfte bereits in der nebenan gelegenen Küche große Massen Napf- und Streuselkuchen, mit denen sie nach der Beerdigung die voraussichtlich große Trauergemeinde bewirten wollte.
Monsieur Dutitre wollte nun von seiner lieben und besorgten Frau Abschied nehmen und ihr noch einmal für all die Grobheiten danken, die sie ihm während ihres Eheidylls an den Kopf geworfen hatte. Da steckte sie ihren mit einer großen Haube geschmückten Schädel zur Tür herein und herrschte ihn an: „Ach, Jotte doch, lieber Mann, laß mir doch in Ruhe! Du weeßt ja, det ick keene Doten sehen kann!"
Dann beweinte sie mit Maß und Würde den nach dieser feinsinnigen Abschiedsrede Dahingeschiedenen und verblüffte noch viele Jahre ganz Berlin durch ungewöhnliche Redewendungen, die sich leider nicht alle wiedererzählen lassen.

„Entschuldijen Sie jütigst – hier kommt 'ne olle Kuh!"

Was Madame Dutitre für das Berliner Biedermeier war, das verkörperte Julie Gräbert für die Epoche nach 1848. Die Gräbert leitete draußen vor dem Rosenthaler Tor das Vorstädtische Theater. Eine Frau als Theaterleiterin war seit den Zeiten der berühmten Neuberin nicht so ungewöhnlich. Doch wie diese Berlinerin ihr Institut führte, das gehört zu den köstlichsten Kapiteln der deutschen Theatergeschichte.

Es fing mit den Inseraten an, die sie allwöchentlich in der „Vossischen Zeitung" erscheinen ließ. „Frau Julie Gräbert", hieß es da, „beehrt sich anzuzeigen, daß sie am heutigen Sonnabend ein Spektakel des Herrn Schiller zu geben beabsichtigt: ‚Das Mädchen von Orleans'. In den Pausen empfiehlt sie ihren stets frischen Gänsebraten nebst dem Weißbiere."

Eigentlich hieß der Titel des Schillerschen Dramas ‚Die Jungfrau von Orleans'. Doch Mutter Gräbert hatte ihn kurzerhand geändert. Die Hauptdarstellerin, Karla Kaiser, hatte nämlich keinen ganz blütenweißen Ruf. Deshalb hatte Julie zu ihrem Hauptspielleiter gesagt: „Die Kaisarn als Jungfrau, nee, Herr Schütz, da fiehlt sich mein Publikum hellisch veralbert."

Die einst so berühmte Theaterdirektorin Mutter Gräbert hörte, wie der Freund eines Gewohnheitstrinkers behauptete: „Er trinkt jetzt bloß noch Äppelwein."
Dazu sagte sie: „Ja, ja, den Appel kenn ick. Der wächst in Nordhausen als Kartoffel!"

Bei den Stücken waren im Vorstädtischen Theater zahlreiche Pausen üblich. Die Zuschauer mußten ja Gelegenheit haben, die riesigen Schinkenstullen und Gänsekeulen, die Mutter Gräbert nebenbei verkaufte, zu vertilgen.

Das war jedenfalls ihre Meinung. Sie stand auf dem Standpunkt, daß Geist und Magen gleichberechtigt seien. Um ihren Oberspielleiter zu ärgern, hatte sie einmal einem hohen Beamten aus dem preußischen Finanzministerium, der zu ihren Stammgästen zählte, zugerufen: „Lassen Sie sich Zeit mit Ihre Keule, Herr Jeheimrat. Ick laß den zweeten Akt 'n bißken warten!"

Konrad Seyfferth

Marx-wirtschaftliches aus der DDR

So, nun hört mal genau zu. Wir haben bei uns in der DDR
nicht wie bei Euch im Westen die Marktwirtschaft, sondern die Marxwirtschaft. Das bedeutet, daß alle Fabriken
verstaatlicht sind und sie folglich VEB heißen. Übersetzt
heißt das nicht etwa „Vaters ehemaliger Betrieb", sondern
„Volkseigener Betrieb".
Die Verstaatlichung soll angeblich den Vorteil haben, daß
so die „kulturellen und materiellen Bedürfnisse des werk-
tätigen Volkes besser befriedigt und nicht mehr kapitali-
stischem Gewinnstreben ausgeliefert werden".
So planen bei uns nicht mehr wie bei Euch die vielen Un-
ternehmer, welche und wie viele Produkte hergestellt werden, sondern die Funktionäre der Staatlichen Plankommission, sozusagen die J.R.'s der Arbeiterklasse.
Man muß sich das einmal vorstellen, eine Kommission
plant für Jahre im voraus die vielen, vielen Millionen Artikel, die die Menschen einer Industriegesellschaft benöti-
gen.
Irrtümer sind da vorprogrammiert. Planung ist hier die
Ersetzung des Zufalls durch den Irrtum.
Das erkannte schon Bertolt Brecht:

> Ja mach nur einen Plan,
> und sei ein großes Licht.
> Mach noch einen zweiten Plan,
> gehn tun sie beide nicht.

Weil das so ist, beherrscht der Plan unser tägliches Leben. Selbst für Genossen ist er ein Buch mit sieben Siegeln.

„Was hältst du vom Plan, Genosse Schulze?"
„Der Plan, Genosse Meier, ist für mich etwas Gewaltiges. Ich verehre ihn."
„Ihn verehren, das ist doch Blödsinn! Man kann einen Plan kritisieren, studieren, erfüllen, übererfüllen, ihn gutheißen und zur Erfüllung Selbstverpflichtungen übernehmen. Doch man kann den Plan nicht verehren."
„Ich habe den Plan studiert, und seither verehre ich den Plan. Ich habe mich dabei an Goethe gehalten: der Mensch soll versuchen, das Erforschliche zu erforschen und das Unerforschliche zu verehren. Deshalb verehre ich den Plan."

Wenn Ihr mal in die DDR kommt, um uns zu besuchen, und dabei feststellt, daß ich und meine männlichen Kollegen einen müden Eindruck machen, so liegt das nicht an der Beanspruchung durch den Plan. Nein, das liegt daran, daß es bei uns schon fast 40 Jahre bergauf geht, wie die Regierung immer sagt.
Ich bin der Meinung, nur eine grundlegende Verbesserung in den Methoden der Planung und Leitung unserer sozialistischen Planwirtschaft kann eine Wende herbeiführen:
1. die Arbeitsmoral der Polen,
2. die Mikroelektronik der Mongolischen Volksrepublik,
3. die Statistik der Sowjetunion.
Wenn es bei uns so weitergeht wie bisher, wird es erst bessere Zeiten geben, wenn die Produktion das Produktionsniveau der politischen Witze erreicht hat.

Honecker erteilt der Computerzentrale Robotron in Dresden den Auftrag auszurechnen, wie weit die DDR noch vom Kommunismus entfernt ist.

Die Mitarbeiter von Robotron füttern die Computer mit allen erforderlichen Daten.

Es vergehen drei Tage, es vergehen zehn Tage, es vergehen zwei Wochen. Jetzt aber ist es soweit. Der Computer wirft die Antwort aus: 27 Kilometer.

Ratlos schaut man sich an. Man ist der Meinung, daß ein Programmierfehler zugrunde liegt, und wiederholt das gesamte Programm noch einmal.

Nach zwei Wochen das Ergebnis: 27 Kilometer.

Ratlosigkeit.

Da fällt einem Mitarbeiter die Lösung ein:

„Ich hab's", ruft er, „erinnert ihr euch noch an die Rede Erich Honeckers anläßlich des XI. Parteitages? Da sagte Genosse Honecker, daß uns jeder Fünfjahresplan einen Schritt näher an den Kommunismus heranbringen wird."

Es fällt mir nicht schwer, an das Computerergebnis zu glauben. Nehme ich Karl Marx beim Wort, so scheint eben die Theorie nichts zu taugen. Er sagte nämlich: Der Prüfstein für die Theorie ist die Praxis: Theorie und Praxis sind aber bei uns zwei flüchtige Bekannte. So ist der Plan eben kein Plan, sondern eher ein Wunschzettel. Und wie die Praxis aussieht, werdet Ihr gleich erfahren. Die sozialistische Planwirtschaft ist ein Wirtschaftssystem, in dem ständig gegen Probleme angekämpft wird, die es ohne sozialistische Planwirtschaft nicht gäbe.

Meine Situationsbeschreibung:
Partei- und Staatsführung beschließen wieder einmal, die BRD zu überholen. Aber wie? Links dran vorbei geht nicht, da sind linke Splittergruppen und Grüne.
Rechts dran vorbei geht nicht, da sind Neonazis.
Also will man die BRD überspringen – aus dem Stand.
Denn ein Anlauf ist unmöglich, weil man dafür zunächst zurückgehen müßte.
Also wird sämtliche Kraft in den Sprung aus dem Stand gelegt. Zu diesem Zweck muß man allerdings vorher in die Knie gehen ... und in diesem Stadium der historischen Entwicklung befindet sich die DDR gegenwärtig.
Nun solltet Ihr aber bitte nicht glauben, daß es bei uns überhaupt nichts zu kaufen gibt. Die Schlangen vor den Geschäften beweisen ja das Gegenteil.
Allerdings sollen sofort die Geschäfte einen Abstand von 200 Meter untereinander einhalten, damit die Schlangen nicht durcheinander geraten.
Wie dem auch sei, unser Problem ist der Mangel.

Steht eine Frau vor der Kaufhalle, schaut in ihre leere Einkaufstasche und fragt sich:
„War ich eigentlich schon in der Kaufhalle, oder muß ich erst noch rein?"

„Warum heißt der DDR-Automobilstolz ‚Trabant 601'?"
„Weil ihn 600 Personen bestellen und ihn nur eine Person bekommt."

„Warum gibt es in der DDR so wenig Banküberfälle?"
„Weil man zehn Jahre auf ein Fluchtauto warten muß."

Keine Butter, keine Sahne,
aber auf dem Mond die rote Fahne.

In Dresden soll ein Kaufhaus den Namen „Weltall" erhalten: Immer einen Griff ins Leere ...

Ein altes Mütterchen steht in einer langen Schlange nach Fleisch an. Vor ihr steht ein Funktionär.
Das Mütterchen schimpft:
„Ich bin nun schon 80 Jahre alt, und noch immer ist mit den Versorgungsschwierigkeiten noch nicht Schluß. Das geht nun schon 36 Jahre so. Mal fehlen Zwiebeln, mal Eier, dann gibt es kein Toilettenpapier oder kein Obst und Gemüse. Dabei hat man uns versprochen, daß es immer besser gehen wird. Das Gegenteil ist der Fall, immer schlimmer wird es."
„Na, na", beruhigt der Genosse, „so schlimm ist es ja gar nicht. Denken Sie mal an einige Gegenden in Afrika, an die Sahel-Zone z. B., da haben die Menschen noch nicht einmal Wasser."
„Ja, mein Gott!" ruft das Mütterchen, „wie lange haben die denn den Sozialismus schon?"

Lehrerin: „Wir wollen in unserer Schule ,Wilhelm Tell' aufführen."
Zwischenruf eines Schülers:
„Woher sollen wir den Apfel nehmen?"

Beim Besuch des Staatsratsvorsitzenden Honecker in Wien zeigt Bundeskanzler Kreisky die Sehenswürdigkeiten: die Hofburg, die Spanische Hofreitschule, Schloß Schönbrunn. Zum Schluß weist er auf ein modernes Gebäude:

„Das ist das Österreichische Marineministerium."
Pikiert reagiert Kreisky auf Honeckers Gelächter:
„Ich habe auch nicht gelacht, Herr Honecker, als Sie mir neulich bei meinem Besuch in Ostberlin das Ministerium für Handel und Versorgung gezeigt haben."

Eine Dresdner Hausfrau fragt bei Radio DDR an:
„Im Radio höre ich immer, daß unsere Produktion von Butter, Milch, Eiern und Fleisch ständig gesteigert wird. Aber mein Kühlschrank ist ständig leer. Können Sie mir einen Rat geben."
Radio DDR antwortet:
„Stecken Sie die Radiosteckdose in den Stecker des Kühlschrankes."

Gute Nacht DDR!
In der DDR ist die Bettenproduktion eingestellt worden:
Die Politiker übernachten im Ausland, die Rentner fahren in den Westen, die Intellektuellen sind auf Rosen gebettet, die Künstler ruhen sich auf ihren Lorbeeren aus, die Soldaten stehen auf Friedenswacht, die Arbeiter und Bauern arbeiten Tag und Nacht, die Parteifunktionäre schlafen nie, und der Rest – sitzt.

Ich erinnere Euch nochmals an unsere Schlangen vor den Geschäften. Nun ist die Schlange eine gewaltige Erfindung der Natur, noch gewaltiger aber wird die Schlange als Erfindung des Sozialismus, obwohl sie dann keine Mäuse mehr frißt. Ich habe selbst miterlebt, wie ein Besucher aus der Bundesrepublik in Leipzig fragte:
„Warum stehen hier soviele Menschen vor diesem Buchladen?"

Ein Funktionär, erkennbar am Parteiabzeichen, im Volksmund auch Kuhauge genannt, antwortete:

„Wir haben gerade ‚Die Woche des Buches'."

Der Besucher aus der Bundesrepublik schlagfertig:

„Oh, ich verstehe, da muß wohl gestern in Dresden ‚Die Woche des Toilettenpapieres' gewesen sein."

Ihr müßt wissen, daß es bei der Versorgung mit Toilettenpapier von Zeit zu Zeit Engpässe gibt.

In einer vogtländischen Kleinstadt, wo man schon seit Tagen auf eine Lieferung wartete, war es nun endlich so weit.

Die Verkäuferin stellte ein Schild vor die Tür mit der Aufschrift: Toilettenpapier eingetroffen!

Ein Einwohner der Stadt sah dies und schrieb darunter:

„Dies ist ein weiterer Sieg des Sozialismus und ein Schlag gegen die Bonner Ultras und ihre imperialistischen Handlanger!"

Aber es fehlt noch mehr, wie Ihr sehen werdet: Fliesen, rosa Briefpapier, Autos, Kühlschränke, Autoreifen, Holz usw. usw.

Ein Journalist der Bundesrepublik hält sich in der DDR auf, um für seine Redaktion einen ausführlichen Bericht über die DDR zu schreiben.

Vor seiner Abreise hat er mit seinem Chefredakteur vereinbart, nachdem einige seiner Kollegen vor ihm auf Grund kritischer Berichterstattung aus der DDR ausgewiesen wurden, alle Berichte positiv zu verfassen.

Damit die Redaktion aber genau im Bilde ist, was an den Berichten wahr und unwahr ist, wurde vereinbart, Berichte, die wahr sind, auf weißes, Berichte, die unwahr sind, auf rosa Papier zu schreiben.

Nach einigen Wochen erreicht der erste Bericht die Redaktion.

Der Bericht war durchweg auf weißem Papier geschrieben und besagte, daß alle DDR-Bürger vor Lebensfreude sprühen, laufend die westliche Presse studieren, chromfunkelnde Autos fahren, bildschöne gepflegte Wohnungen haben, die Läden voller preiswerter und qualitativ hochwertiger Waren sind.

Kurzum, es gibt alles, was das Herz begehrt.

Nur eines nicht: rosa Briefpapier!

Ein DDR-Bürger hat im Lotto eine Million Mark gewonnen.

Freudestrahlend geht er in ein Geschäft:

„Ich habe im Lotto gewonnen und hätte gerne ein Auto."

Der Verkäufer zeigt ihm ein Auto und verschiedene Abbildungen.

„Prima, dann möchte ich das Auto gleich mitnehmen."

Der Verkäufer:

„Moment mal, so einfach geht das nicht. Wir haben hier eine Liste, da müssen Sie sich eintragen ..."

Enttäuscht verläßt der Lottogewinner den Laden und versucht sein Glück in einem Elektrofachgeschäft.

„Ich habe im Lotto gewonnen und hätte gerne einen Kühlschrank."

Der Verkäufer zeigt ihm einen Kühlschrank.

„Prima", ruft der Lottogewinner, „den möchte ich gleich mitnehmen."

Darauf der Verkäufer:

„Das ist nicht möglich, dieser Kühlschrank hier ist ein Beratungsmuster. Wir haben hier aber eine Liste, da müssen Sie sich eintragen ..."

Der Lottogewinner wird vom Schlag getroffen, und ehe er wieder zur Besinnung kommt, steht Petrus vor ihm:
„So jung und schon bei mir?"
Der DDR-Bürger schildert seine Erlebnisse in der DDR und wünscht:
„Petrus, ich habe eine Bitte, wenn der Mensch, der für diese Zustände in der DDR verantwortlich ist, hier eines Tages zu dir kommt, informiere mich bitte, damit ich ihm kräftig in den Hintern treten kann."
Petrus antwortet:
„Geht in Ordnung, wir haben hier eine Liste, da ..."

Die Betriebsversammlung wird eröffnet:
„Genossen, zwei Punkte stehen heute auf der Tagesordnung:
1. Aufbau des Lagerschuppens,
2. Aufbau des Sozialismus.
Da wir kein Baumaterial haben, schlage ich vor, gleich mit Punkt 2 der Tagesordnung zu beginnen."

Ein Mann hat ein verwildertes Grundstück geerbt und in mühevoller Kleinarbeit ein Schmuckstück daraus gemacht. Eines Tages kommt ein Parteifunktionär vorbei und meint lobend:
„Es ist schon toll, was die sozialistische Planwirtschaft unter der Führung unserer marxistisch-leninistischen Partei und wir Menschen zusammen vermögen."
„Gewiß, gewiß, aber Sie hätten das Grundstück mal sehen sollen, als es die marxistisch-leninistische Partei noch allein bewirtschaftet hat."

„Was geschieht, wenn die Staatliche Plankommission die Wüste Sahara besetzt?"
„Zuerst wird ein Fünfjahresplan aufgestellt, dann passiert vier Jahre nichts, im fünften Jahr wird der Sand knapp."

Qualitativ hochwertige Güter werden gegen die dringend benötigten Devisen in das westliche Ausland exportiert. Der Ausschuß bleibt in der DDR.
Honecker erkundigt sich nach dem Ausschuß:
„Acht Prozent", meldet der zuständige Minister.
Der SED-Chef fragt zurück:
„Reicht denn das für die Versorgung unserer Bevölkerung?"

Verärgert betritt ein Kunde den HO-Textilladen.
„Sie haben mir nur Schund verkauft! Der Reißverschluß der Hose funktioniert nicht, der Stoff weist Webfehler auf, die Jacke hat Flecken, und die Schuhe sind farblich unterschiedlich ausgefallen."
„Sie sollten ganz ruhig bleiben", antwortet die Verkäuferin beschwichtigend, „würden die Artikel diese Fehler nicht haben, gingen sie in den Export. Und was hätten Sie dann davon?"

Ein Käufer verlangt einen Autoreifen.
„Autoreifen haben wir nicht", lautet die lapidare Antwort des Verkäufers.
„Dann geben Sie mir bitte eine Bohrmaschine."
„Bohrmaschinen haben wir nicht", ist erneut die Antwort des Verkäufers.
„Bitte, dann hätte ich gerne fünf Quadratmeter Fliesen."
„Fliesen? Fliesen haben wir nicht", ist die stereotype Antwort.

„Dann geben Sie mir bitte ein Gewehr."
„Ein Gewehr, wozu denn ein Gewehr?"
„Damit ich unsere sozialistischen Errungenschaften verteidigen kann."

„Was ist eigentlich so verwerflich am kapitalistischen Wirtschaftssystem?"
„Daß es für unsere Planwirtschaft so unentbehrlich ist."

Was ist der Unterschied zwischen Kapitalismus und Sozialismus?
Der Kapitalismus hat eine saumäßige Planwirtschaft, der Sozialismus hat eine planmäßige Sauwirtschaft.

Nachdem ein Bauer enteignet wurde und der LPG beitreten mußte, lud ihn ein SED-Funktionär zum Essen ein. Der Bauer ißt vier große Schnitzel mit den entsprechenden Beilagen dazu.
Der SED-Funktionär wundert sich:
„Mann, Ihren Appetit möchte ich haben!"
Darauf der Bauer verärgert:
„Das ist bezeichnend für euch, erst nehmt ihr mir mein gesamtes Vieh, mein Land, meine Maschinen und meine Stallungen, aber das genügt offenbar immer noch nicht, jetzt wollt ihr auch noch meinen Appetit."

„Woran merkt ein DDR-Bürger, daß es Sommer geworden ist?"
„Natürlich daran, daß es zwar Winterstiefel zu kaufen gibt, aber nirgends Eiscrem."

„Teure Genossen, ich verspreche euch, nach diesem Fünf-Jahres-Plan wird jeder DDR-Bürger ein Motorrad erhalten, nach dem nächsten ein Auto und nach dem übernächsten ein Flugzeug."

„Aber Genosse, wozu brauchen wir ein Flugzeug?"

„Blöde Frage. Überlege mal, du wohnst in Rostock und erfährst plötzlich, daß es in Eisenach Toilettenpapier gibt. Dann schwingst du dich einfach in das Flugzeug und fliegst nach Eisenach, nach 2 Stunden bist du wieder zu Hause, ohne in der Schlange gestanden zu haben."

Mit Sorge denke ich schon an den nächsten Winter, da haben wir ständig mit Energie- und den damit verbundenen Versorgungsschwierigkeiten zu kämpfen.
Chaotische Zustände herrschen dann zeitweise.
Wie Ihr sehen werdet, Freunde, hört nämlich bei minus fünf Grad der Sozialismus auf.

Zwei Schneeflocken treffen sich. Die eine fragt:
„Wo fliegst du dieses Jahr hin?"
„Ach, ich fliege nach Skandinavien, da bleibe ich am längsten am Leben. Und du, wo fliegst du hin?"
„Ich fliege in die DDR und mache Panik."

Ministerpräsident Stoph läßt den Chef des Staatssicherheitsdienstes Mielke, der für seine Härte in der DDR berüchtigt ist, zu sich kommen.
„Genosse Mielke, ich lese gerade in der Zeitung, daß jeder dritte DDR-Bürger Staatseigentum stiehlt."
„Was Sie nicht sagen, Genosse Stoph. Wer hätte das von Honecker gedacht."

1983. Lutherjahr in der DDR.

Der technisch betagte Pkw „Wartburg", benannt nach Luthers Wirkungsstätte, soll wenigstens einen neuen Namen erhalten. Man einigte sich in der Entwicklungsabteilung auf den Namen „Martin Luther".

Nach dem Lutherspruch: Hier stehe ich, ich kann nicht anders.

Na ja, die Zeit heilt alle Kunden. Wenn ich einen Funktionär ab und zu darauf aufmerksam mache, daß unsere Produkte auch nicht gerade das Gelbe vom Ei sind und der uns versprochene Lebensstandard immer noch auf sich warten läßt, dann haut er auf den durch die sozialistische Planwirtschaft errungenen nicht vorhandenen Putz und erklärt mir es so:

„In der Bundesrepublik kostet ein Glas Marmelade zwei Mark, bei uns in der DDR kostet das gleiche Glas Marmelade auch zwei Mark. In der Bundesrepublik kostet ein Herrenoberhemd mittlerer Qualität 20 DM, bei uns kostet das gleiche Hemd etwa – zugegeben – 60 DM. Nun überlege doch mal, bei uns kannst du dir für den Preis eines Herrenoberhemdes 30 Gläser Marmelade kaufen, in der Bundesrepublik aber nur zehn."

Leo Prijs

Der Witz der Völker

Das Kennzeichen eines echten Volkswitzes – in Gegensatz zum allgemeinen, zum internationalen Witz – ist seine Unverwechselbarkeit, seine Unaustauschbarkeit, da ja in zugespitzter Form ganz bestimmte Eigenschaften des betreffenden Volkes oder der betreffenden Volksgruppe zum Ausdruck gelangen sollen. So z. B. im folgenden *bayerischen* Witz:

Ein Preuße begeht die Todsünde, im Hofbräuhaus zu München Limonade zu bestellen. Unwirsch und tief beleidigt knallt ihm die Kellnerin das Gewünschte auf den Tisch. Der Aufprall ist so stark, daß der halbe Inhalt des Glases sich über den Nachbarn am Tisch, einen Münchner, ergießt. „Es tut mir ganz schrecklich leid", versucht sich der höfliche Norddeutsche beim Münchner zu entschuldigen, „aber die Kellnerin war wirklich etwas ungeschickt." „Reg di net auf", brummelt der Münchner, „ins Mai (Maul) is ja nix einikimma."

Wir können hier nicht einfach statt des Hofbräuhauses etwa eine Berliner Kneipe einsetzen und die Rollen des Preußen und des Bayern vertauschen. Es ist nicht nur unmöglich, weil das Biertrinken hier als nationale bayrische Eigenschaft herausgestellt werden soll, sondern auch wegen der Art und Weise, wie der Bayer reagiert, nämlich gelassen, wortkarg und mit trockenem Humor.

Das gleiche gilt auch für jene zwei Münchner, die auf einer Bank im Hofgarten sitzen und einem Gespräch zuhören, das drei Norddeutsche führen, die zufällig auf derselben Bank sitzen. Der erste Norddeutsche sagt: „Schrecklich, dieser Föhn! Ich habe ständig Kopfweh!" Der zweite klagt: „Dieser dauernde Temperaturwechsel! Ich habe immerfort Halsweh!" Der dritte: „Und dieses schwere Essen! Ich habe dauernd Magenweh!" Da sagt der eine Münchner zum anderen: „Ois ham s', bloß Hoamweh ham s' net!"
Dies ist der trockene Humor, der auch Ludwig Thoma (besonders in seinen „Lausbubengeschichten") und Karl Valentin charakterisiert.

Im Gegensatz zum eher langsamen und bedächtigen Bayern gilt der *Preuße,* speziell der Berliner, als flink, und so ist „ein Charakteristikum des Berliner Witzes seine Flinkheit. Er funktioniert wie ein gut geöltes Schnappschloß und hat für jeden Menschen und jede Situation sofort eine prägnante Formel parat. Diese Formel braucht durchaus nicht immer zu stimmen, aber sie ist immer schlagkräftig."
Als Beispiel wollen wir berichten, wie es einer modisch aufgetakelten Dame erging, die einen Berliner Straßenjungen um Auskunft bat: „Wie komme ich zum S-Bahnhof Zoologischer Garten? Ich möchte nämlich in den Zoo." Der Kleine musterte sie interessiert: „Als wat denn?"

„In' Zoo, Frollein?
Als wat denn?"

Ein Kennzeichen des *österreichischen* Witzes ist die „mit Gemütlichkeit maskierte melancholische Hintergründigkeit". Als sein typischer Vertreter kann Johann Nestroy gelten, der im „Lumpazivagabundus" seinen Knieriem folgenden gemütvollen Ausspruch tun läßt: „Ich hab' schon soviel Malheur gehabt, allweil durch die *Räusch'*. Wenn ich meinen Verdruß nicht *versaufen* tät' – ich müßt' mich grad aus Verzweiflung dem *Trunk* ergeben."

Den Ausspruch der Theogonie von Magara: „Nicht geboren zu sein – das Beste wär' es dem Menschen", wandelt Nestroy folgendermaßen ab: „Ich sag' immer, man richtet's viel leichter, wenn man nie dagewesen wär'." Die „Fliegenden Blätter" ergänzten diesen Ausspruch: „... doch leider wird dieses Glück nur wenigen zuteil." Sigmund Freud zitiert die Ergänzung der „Fliegenden Blätter" so: „..., aber, fügten die Weisen der ,Fliegenden Blätter' hinzu, unter hunderttausend Menschen passiert dies kaum einem." Dieser Witz in seinen Abwandlungen ist wahrlich „mit Gemütlichkeit maskierte melancholische Hintergründigkeit".

Gemütlichkeit atmen auch die Wiener Graf-Bobby-Witze.
Der Piccolo des Hotels Monopol zum Grafen Bobby:
„Herr Graf, eine Denkaufgabe: Wer ist dies: Es ist meines Vaters Sohn und doch nicht mein Bruder!?"
„???"
„Das bin ich selbst!"
„Aha! – Das muß ich heute abend im Club erzählen!"
Abends im Club, Graf Bobby zu seinen Kollegen: „Wer ist dies: Er ist meines Vaters Sohn und doch nicht mein Bruder!?"

„Das bist du doch selbst!"

„Falsch geraten. – Das ist der Piccolo vom Hotel Monopol!"

Als Haupteigenschaft der *Schotten* wird bekanntlich die Sparsamkeit belächelt. Wir wollen uns auch hier mit einigen wenigen Beispielen begnügen, um so mehr als wir so der Empfehlung eines Schotten nachkommen, der, nach seiner Meinung über die Schottenwitze befragt, erwiderte: „Man sollte etwas sparsamer damit umgehen." Diesen Ausspruch fand ich als Motto eines – passenderweise sehr dünnen – Bändchens mit Schottenwitzen. Das Vorwort dieses Bändchens endet mit folgenden Worten: „Man sagt, daß niemand über einen Schottenwitz so herzlich lacht wie die Schotten selbst – in der Erkenntnis: Wir sind so humorvoll, weil der Humor nichts kostet."

Der Geiz der schottischen Behörden wird in origineller Weise verulkt in der Autobiographie des schottisch-jüdischen Bildhauers Benno Schotz. Vor dem Ersten Weltkrieg hörte Schotz einen Straßenecken-Redner in Edinburgh seine Zuhörerschaft warnen, daß „uns unsere Freiheit Stück für Stück entrissen wird und daß wir alle bald einen Zählautomaten an unsere Brust werden schnallen müssen, und jedesmal, wenn wir frische Luft atmen wollen, werden wir eine Münze in den Schlitz werfen müssen ..." (Dies ist, nebenbei bemerkt, ein früher schottischer Beitrag zur Lösung der heutigen Ökologie-Probleme ...)

Japan ist nach Aussage eines Witzologen so arm an eigenen Witzen, daß es bei den 1981 in Gabrovo (Bulgarien) stattgefundenen Witz-Festspielen nur einen einzigen ja-

panischen Witz produzieren konnte, einen (an das Harakiri anklingenden) Selbstmord-Witz, der zudem noch schottisch „verpackt" war:
Ein Mädchen in Japan ist im Begriff, eine zollpflichtige Brücke zu überqueren, will aber nur die Hälfte des Zolles entrichten, mit der Begründung: „Ich will die Brücke nur bis zur Hälfte überqueren, da ich mich dann ins Wasser stürzen will ..."

Nach Mitteilung des oben genannten Witzologen will Japan jetzt seinem Mangel an Witzen abhelfen, indem es jährlich ebenso viele Witze importieren will, wie es Autos exportiert.

Wir wollen uns nun den *englischen* Witzen zuwenden. Für die Engländer ist es charakteristisch, daß auch ernsthafte Diskussionen, wie die Debatten im Ober- und Unterhaus, oft humorvoll geführt werden und in witzigen Pointen gipfeln. Die Parlamentsprotokolle lesen sich oft wie bühnenreife Sketche. Dieser Humor entgiftet die Atmosphäre und schafft trotz der vorhandenen Gegensätze ein menschliches Klima.
So verteidigte 1976 ein konservativer Abgeordneter im Unterhaus die Institution des Erbadels unter höhnischem Gejohle der Labour-Abgeordneten mit folgenden Worten: „Wir alle wissen, daß der Engländer einen Lord liebt, der dazu erzogen wurde, ein Lord zu sein, der wie ein Lord aussieht und sich auch wie ein Lord benimmt." Der Abgeordnete fuhr dann fort: „Das breite englische Publikum zieht zweifellos einen echten blaublütigen Adligen dem schwachen Rosarot vor, das in den Adern der neu-ernannten sogenannten Adligen zirkuliert." Mit diesem witzigen Bild entschärfte der Redner seine Polemik und

erreichte, daß sich der Spott der Gegenpartei in Lachen verwandelte.

Im Herbst 1977 ernannte Premierminister Callaghan ausgerechnet seinen Schwiegersohn, Peter Jay, zum englischen Botschafter in den Vereinigten Staaten. Auf einer Pressekonferenz befragt, was er sich bei dieser Ernennung gedacht habe, antwortete der neugebackene Botschafter nicht etwa mit langatmigen Beweisen, daß seine Ernennung nichts mit Nepotismus zu tun habe, sondern mit folgendem entwaffnenden Bekenntnis: „Ich konsultierte einen Freund, der mir riet, ich solle zögern – zehn Sekunden lang – und dann die Ernennung akzeptieren …"

Bei dieser Gelegenheit „enthüllte" der Botschafter, daß sein Schwiegervater Callaghan sich für Großbritanniens Moses halte, der wie der biblische Moses sein Volk aus dem Elend durch die Wüste einer neuen lichten Zukunft entgegenführe. Daraufhin spottete die britische Presse: der biblische Moses habe 40 Jahre gebraucht, um diese bessere Zukunft zu erreichen. Und im konservativen Daily Telegraph erschien eine Karikatur von Callaghan als Moses, vom Berg Sinai herabsteigend, in der Hand zwei steinerne Tafeln haltend mit der Aufschrift: „Die Zehn Gebote der britischen Gewerkschaften."

Der gleiche konservative Daily Telegraph spottet aber auch, selbstironisch, über die eigene, die sogenannte obere Klasse; so zum Beispiel in einer Karikatur während der großen Hitzewelle im Juni 1976. Man sieht in einem exklusiven Herrenklub (Aufschrift an der Wand: „Zutritt nur für Mitglieder") einen älteren Gentleman im Frack, der sich unwohl fühlt und sich daher mit den Armen auf die Schultern zweier anderer Gentlemen stützt, die ihn links und rechts flankieren und ebenfalls mit Frack bekleidet sind. Der eine der beiden Stützer sagt zum anderen Stützer: „Es war kein Hitzschlag, er sah nur jemanden in Hemdsärmeln."

Der Daily Telegraph selbst, wie gesagt das Leibblatt der Konservativen, ist Gegenstand des folgenden Witzes: Über ein Mitglied des Carlton-Klubs, den Brigade-General Jeffries, wird erzählt, daß man ihn fragte, was er jetzt, nach seiner Pensionierung, tue. Er erwiderte darauf: „Ich lasse mir das Frühstück ans Bett bringen, dann lese ich die Todesanzeigen im Daily Telegraph, und wenn ich nicht darunter bin, stehe ich auf."

Von der Selbstironie der oberen Klasse zeugt auch die Antwort, die Sir Alec Douglas Home (1963–1964 konservativer Premierminister) dem Führer der Arbeiterpartei Harold Wilson (Premierminister 1964–1970) gegeben haben soll:
Wilson: „Ihre Familie ist von so altem Adel, daß Ihre Vorfahren sicherlich in der Arche Noahs gewesen sind."
Sir Alec: „Eigentlich nicht; wir hatten unser eigenes Boot" …

In einer Rede vor der Delegiertenversammlung der britischen Juden (Board of Deputies of British Jews) im Jahre 1981 bezeichnete sich die Konservative Premierministerin Margaret Thatcher selbstironisch als „Mitglied der Gewerkschaft weiblicher Premierminister, einer zahlenmäßig begrenzten, auserlesenen Gruppe", deren Angehörige

„Es war kein Hitzschlag,
er sah nur jemanden in Hemdsärmeln."

„in bezug auf energisches Handeln und Entschlußkraft eine Menge von Golda Meir lernten, einem Gründungsmitglied dieser Gewerkschaft".

Die Erwähnung Golda Meirs wäre nun eine geeignete Überleitung zu unserem eigentlichen Thema, dem jüdischen Witz.

Wir wollen jedoch unsere allgemeine Übersicht nicht beenden ohne einen typisch *orientalischen* Witz:
Ein Sultan und sein Wesir sitzen friedlich nebeneinander auf dem Teppich. Zwischen ihnen befindet sich eine große Schale, der sie eine Dattel nach der anderen zum genüßlichen Verzehr entnehmen. Der Wesir wirft die Kerne, nach Landessitte, vor sich hin, der Sultan jedoch wirft die Kerne, in einer übermütigen Laune, hinüber zu den Kernen des Wesirs, dessen Kernhäuflein daher entsprechend anschwillt.
Sagt der Sultan zum Wesir: „Du hast alle Datteln allein aufgegessen; dein Bauch muß ja platzen!"
Sagt der Wesir zum Sultan: „Du hast ja alle Kerne verschluckt; dein Bauch muß ja platzen!"

Autoren- und Quellenverzeichnis

Roland Hill
weist sich in dem Herder Taschenbuch Nr. 1210 „Typisch irisch" als
kenntnisreicher und humorvoller „Reiseleiter" aus. Seit fast 30 Jahren berichtet er in deutschen Zeitungen über das Geschehen und die
Probleme des kleinen Irland. Er zeigt hier, daß, wer Sinn für Atmo-
sphärisches, für das Unerwartete auf einer Reise über diese kleine In-
sel hat, spannende und heitere Entdeckungen machen kann.

Karl-Heinz Kerber
lebt zwar schon lange nicht mehr in Berlin, hat aber sein Herz dort
verloren und hält Verbindung mit der alten Reichshauptstadt, indem
er Berliner Anekdoten sammelt. Die hier abgedruckte Auswahl
stammt aus dem Herder Taschenbuch Nr. 1234 „Berühmt und unverblümt. Berliner Prominenz im Spiegel der heiteren Anekdote".

Rolf Magsamen
ist Sohn eines Polizeibeamten und selbst seit 30 Jahren Ordnungshü-
ter, Leiter eines ländlichen Polizeireviers. An Feierabenden trifft
man den Autor „auf heiterer Spurensicherung". So sammelt er auch
alles, was es über „Gesetz und Recht" an humorvollen und lustigen
Erlebnissen und Berichten aus aller Welt gibt. Daß auf fremden Straßen andere Sitten herrschen, erfahren wir aus dem Herder Taschenbuch Nr. 1038 „Die lachende Parkuhr".

Klaus Mampell
lebt am Bodensee, in Frankreich und in den USA. Noch während er
seine genetischen Studien betrieb, wandte er sich zunehmend der li-
terarischen Tätigkeit zu. So wurden besonders seine Beobachtungen
und Geschichten aus den Ländern, in denen er lebt und die er liebt,
bald in vielen Zeitungen und Zeitschriften veröffentlicht. Als Herder
Taschenbuch erschienen bisher: „Typisch französisch" (Nr. 1211)
und „Typisch amerikanisch" (Nr. 1351).

Heilwig von der Mehden

ist in Essen geboren und lebt seit vielen Jahrzehnten in Bonn. Seit vielen Jahren auch wartet regelmäßig ein großer Leser(innen)-Kreis auf ihre heiteren Beobachtungen aus dem Alltag. Mehr als 20 Titel sind inzwischen als Herder Taschenbuch erschienen, die auf den folgenden Seiten aufgeführt sind. Der hier abgedruckte Text stammt aus dem Herder Taschenbuch Nr. 714 „Schön ist es auch anderswo ...“

Leo Prijs

war Professor für Judaistik in München und hat im Herder Taschenbuch Verlag verschiedene Bände zum jüdisch-christlichen Dialog veröffentlicht. Daß man auch Ernstes und Ernstgemeintes heiter sagen kann, beweist er mit seinem Buch über den echten jüdischen Witz „Lachen und Überleben“ (Herder Taschenbuch Nr. 1126). Das hier abgedruckte Kapitel stammt aus der Einleitung dieses Buches und zeigt, daß jedes Volk seine ganz spezielle Art hat, sich Ernstes und manchmal sogar Ärgerliches auf heitere Weise von der Seele zu erzählen.

Bernd Schmitz

war ein echter Münsterländer. Zeit seines Lebens sammelte er die „Döhnkes“, wie man im Münsterland all die lustigen und rauh-herzlichen Begebenheiten und Geschichten nennt, die Land und Leute so exakt, aber auch hintergründig kennzeichnen. Der Autor ist vor vielen Jahren verstorben, die von ihm in Plattdeutsch erzählten Geschichten leben weiter und bereiten auch in hochdeutscher Sprache in der im Herder Taschenbuch Nr. 1135 erschienenen Ausgabe „Schinken, Schnaps und Gottesfurcht“ dem Leser viel Vergnügen.

Alice Schwarz-Gardos

wurde zwar in Wien geboren, wanderte aber bereits 1940 ins damalige Palästina ein. So kennt sie das heutige Israel bereits von seinen politischen Anfängen an. Mit Liebe, aber auch viel heiterer Ironie und ein bißchen zärtlicher Kritik zeigt sie in diesem „Reiseführer“ „Paradies mit Schönheitsfehlern“ (Herder Taschenbuch Nr. 944) die Probleme und den ganz gewöhnlichen Alltag der Menschen in Israel, mit denen man am besten lächelnd fertig wird.

Konrad Seyfferth

wurde in Sachsen geboren, lebt aber seit 1961 in der Bundesrepublik. Sein Interesse für das Land seiner Geburt hat er aber nie verloren, und so reiste er viele Male in das Land des „realen Sozialismus". Auf diesen Reisen sammelte er die Witze und auch manchmal „bissigen" Bemerkungen, mit denen die dortige Bevölkerung sich ein Ventil verschafft, um mit dem lästigen Widerspruch zwischen „Paradies" und alltäglichen Schwierigkeiten fertigzuwerden. Das neue Herder Taschenbuch von ihm heißt deshalb auch: „Wer lacht, hat noch Reserven" (Nr. 1390).

Herbert Sinz

lebt als geborener Dortmunder in Hürth, einer Vorstadt Kölns. So lag es nahe, daß er sich besonders mit der heiteren Seite seiner Wahlheimat befaßte. Daß das rheinische Christentum eine besondere Form christlicher Frömmigkeit darstellt, beweist er in dem Herder Taschenbuch Nr. 1296 „Don Camillos rheinische Brüder", dem der hier abgedruckte Text entnommen ist. Außerdem ist als Herder Taschenbuch erschienen „Froh gelebt und leicht gestorben" (Nr. 1201). Der „Historiker des deutschen Handwerks" hat außer dem „Lexikon der Sitten und Gebräuche im Handwerk" (Nr. 1263) auch das Herder Taschenbuch „Heiteres Handwerk" (Nr. 1318) herausgegeben.

Horst Stankowski

machte seine erste Bekanntschaft mit Italien bereits 1937. 1955 konnte er dann ganz in sein „Wahlverwandtschaftsland" übersiedeln. Als römischer Bürochef der dpa brachte er als „Mitgift" ein zwar kritisches, aber immer schmunzelndes Wohlwollen ein. Die Auszüge, die hier abgedruckt sind, sind seinem Herder Taschenbuch Nr. 991 „Beamtenleichen reisen billiger" entnommen.

Heiteres im Herder Taschenbuch

Ein Literaturverzeichnis

Heitere Länder- und Völkerkunde

Hill, Roland: Typisch irisch.
Ein vergnüglicher Reiseführer,
Band 1210

Kerber, Karl-Heinz: Berühmt und unverblümt.
Berliner Prominenz im Spiegel der heiteren Anekdote, Band 1234

Lützeler, Heinrich / Steinberg, Josef: Heitere Christen am Rhein.
Schon widder e Wunder!, Band 718

Mampell Klaus: Typisch amerikanisch.
Heitere Rundreise durch die USA, Band 1351

Mampell, Klaus: Typisch französisch.
Amüsantes von unseren Nachbarn, Band 1211

Prijs, Leo: Lachen und Überleben.
Echte jüdische Witze, Band 1126

van Rossum, Wil: Typisch holländisch, Band 1524

Schlitter, Horst: Typisch italienisch, Band 1538 (Juni 1988)

Schmitz, Bernd: Schinken, Schnaps und Gottesfurcht.
Heitere Schnurren und deftige Schwänke aus Westfalen, Band 1135

Schwarz-Gardos, Alice: Paradies mit Schönheitsfehlern.
So lebt man in Israel, Band 944

Seyfferth, Konrad: Wer lacht – hat noch Reserven.
Neue Witze aus der DDR, Band 1390

Sinz, Herbert: Froh gelebt und leicht gestorben.
Rheinisches Gelächter, Band 1201

Stankowski, Horst: Beamtenleichen reisen billiger.
Glanzstücke italienischen Humors, Band 991

Humor rund um den Kirchturm

Balling, Adalbert Ludwig: Humor hinter Klostermauern, Band 1184

Balling, Adalbert Ludwig: Unser Pater ist ein großes Schlitzohr.
Humor aus den Missionen, Band 1045

Fährmann, Willi: Der Hirschhornknopf im Klingelbeutel, Band 1314

Fesquet, Henri: Ich bin ja nur der Papst.
Humor und Weisheit Johannes' XXIII., Band 377

Harder, Johannes: Und der Himmel lacht mit.
Heiteres von Theologen und Theolunken, Band 927

Heinz-Mohr, Gerd: Der lachende Christ. Geistlicher Humor quer
durch Deutschland, Band 1517

Klinger, Kurt: Ein Papst lacht.
Anekdoten um Johannes XXIII., Band 616

Lotz, Johannes B.: Lachen ist eine Gabe Gottes.
Von der Tugend des Humors, Band 999

Pfeiffer, Karl-Heinz: Gott liebt die Fröhlichen.
Laßt Euch den Humor nicht nehmen!, Band 957

Rauch, Karl / Schröder C.M. (Hrsg.): Fröhlichkeit und Frömmigkeit,
Band 698

Schaube, Werner / Stauber, Jules: Lieschen M. und Mutter Kirche,
Band 1323

Sinz, Herbert: Don Camillos rheinische Brüder, Band 1296

Heitere Geschichten und Witzsammlungen

Balling, Adalbert Ludwig: Gut getroffen.
Anekdoten, Band 1564 (August 1988)

Gillich, Helmut: Die lachende Lokomotive, Band 956

Heinz-Mohr, Gerd: Humor ist der Regenschirm der Weisen.
Band 1571 (September 1988)

Helm, Inge: Männer vom Umtausch ausgeschlossen.
Heiteres aus dem Familienalltag, Band 1510

Lützeler, Heinrich: Das Lachen ist uns geblieben.
Humor von und mit Heinz Erhardt – Erich Kästner – Eugen Roth
u. a., Band 926

Magsamen, Rolf: Die lachende Parkuhr.
Vergnügliches von Verkehrssündern, Autos und Ordnungshütern,
Band 1038

Magsamen, Rolf: Wenn das Auge des Gesetzes blinzelt, Band 1220

Muth-Schwering, Ursula (Hrsg.): Mach es wie die Sonnenuhr ...,
Band 932

–: **... zähl die heiteren Stunden nur!,** Band 113

–: **Lebe glücklich, lebe heiter!,** Band 1200

–: **Hab' Sonne im Herzen,** Band 1279

–: **Heiter wie der Regenbogen,** Band 1370

Rotzinger, Ulrike: Arbeit adelt – aber nicht jeder möchte adelig sein.
Heiteres aus dem Berufsleben, Band 1168

Sinz, Herbert: Heiteres Handwerk, Band 1318

Ulrich, Winfried: Kennen Sie wenigstens ein paar neue Witze?,
Band 725

Ulrich, Winfried: Witze mit Spitze.
Überraschende Pointen, Band 903

Selten so gelacht. 1500 Witze,
gesammelt und herausgegeben von Winfried Ulrich, Band 1105

Von heiteren Tagen. Herderbücherei-Autoren erinnern sich ...,
Band 1361

Kinderlachen / Schülergeschichten

Benary-Isbert, Margot: Die Großmutter und ihr erster Enkel,
Band 349

Bull, Bruno Horst: Bist Du der liebe Gott?
Kinderanekdoten aus der Kirche, Band 968

Bull, Bruno Horst: Der fröhliche Kindergarten.
Heitere Erlebnisse und kuriose Sprachblüten zum Mitlachen,
Band 1099

Fickenscher, Hans: Aus der Schule geplaudert.
Allerlei Kurioses von Lehrern und Schülern, Band 767

Gosdzinski, Ingrid: Fliegen sind doch auch nur Menschen.
Heitere Erlebnisse mit Urte, Katrin und Andreas, Band 1264

Lambertz, Johann Sebastian: Die Harfe klingt wie Zittergras.
Stilblüten und heitere Kuriositäten aus dem Musikunterricht,
Band 1080

Link, Almuth: Im Kinderzimmer brennt noch Licht.
Fröhliche Geschichten aus dem Familienalltag, Band 880

Müller-Partenkirchen, Fritz: Der vergnügte Professor.
Erinnerungen an meine Schulzeit, Band 828

Muth-Schwering, Ursula (Hrsg.): Das fröhliche Schaukelpferd,
Band 1324

Rombach, Theo (Hrsg.): Wer stört denn da schon wieder?
Alte und neue Schulgeschichten, Band 1274

Rombach, Theo (Hrsg.): Als der Tag noch voller Träume war.
Erzählungen aus Kindertagen, Band 1355

Schulenburg, Tisa von der: Des Kaisers weibliche Kadetten.
Schulzeit zwischen Kaiserreich und Revolution, Band 1057

Heilwig von der Mehden

Nehmt die Männer, wie sie sind. Es gibt keine anderen, Band 427

Keiner lebt wie Robinson.
Von Verwandten, Bekannten und anderen Leuten, Band 474

Vielgeliebte Nervensägen. Von großen und kleinen Kindern, Band 516

Ehret die Frauen – aber übernehmt euch nicht!, Band 539

Mir ist doch so, als wär' mir was ...
Vom angenehmen Umgang mit sich selbst, Band 587

Vier Wände und ein Gartenzaun, Band 613

Und was tun, wenn nichts zu tun ist?
Von den Freuden und Leiden der Freizeit, Band 658

Schön ist es auch anderswo ... Wir gehen auf die Reise, Band 714

Die Fliege an der Wand. Worüber man sich ärgert, Band 774

Lauter reizende Leute ... man merkt es nur nicht immer, Band 851

Strichweise heiter.
Von netten Leuten, lieben Tieren und anderen Plagen, Band 930

Manchmal langt's aber!
Von den nicht völlig ungetrübten Freuden der Eltern, Band 937

Sah ein Knab' ein Mägdlein stehn, Band 1103

Wir sind doch nicht von gestern, Band 1108

Der Tritt unterm Tisch.
Von allerlei zwischenmenschlichen Beziehungen, Band 1196

Alles in schönster Unordnung.
Vom Glück daheim und dem Ärger zu Hause, Band 1278

Eigentlich nur halb so schlimm ...
weil's den anderen auch so geht, Band 1353

Alle Tage ist kein Alltag ... aber leider ziemlich oft, Band 1362

Jeder kehre vor seiner Tür ..., Band 1537

Heilwig von der Mehden / Albertine Mauel-Wildhagen:
Sei manierlich, Albertine.
Erinnerungen an unsere aparte Familie, Band 1186

Cartoons/Kuriositäten/Satiren

Carsten, Catarina: Sind Sie etwa auch frustriert?
Geschichten zum Lachen und Weinen, Band 887

Fuchs, Martin: Lauter fromme Schafe.
Heitere Pastorenträume, Band 949

Illies, Joachim: Zoologeleien, Band 502

Illies, Joachim: Zu wahr, um schön zu sein.
Federlese an der Wissenschaft, Band 638

Illies, Joachim: Theologien, Band 739

Köhler, H.E.: O heiliger Bürokratius!
Karikaturen rund um die Steuer, Band 985

Lewis, C.S.: Dienstanweisung für einen Unterteufel, Band 545

Maier, Hans: Hilfe, ich bin normal, Band 914

Maier, Hans: Wenn Mozart heute zur Schule ginge, Band 1085

Maier, Hans: Nachruf auf die Tinte und andere Streiflichter zur Zeit,
Band 1242

Marcus, Fred: FC Himmel gegen FC Hölle.
Gelächter über den Wolken, Band 1380

Marcus, Fred: Allzu Mönchliches, Band 1525

Marcus, Fred: Nun siegt mal schön, Band 1552 (Juni 1988)

Meves, Christa / Illies, Joachim: Dienstanweisungen für Oberteufel,
Band 900

Reding, Josef: Erfindungen für die Regierung und andere Satiren,
Band 1074

Wieland, Rüdiger F.: Schweineknecht gesucht, der melken kann.
Kuriose Zeitungsmeldungen, Band 963